O MAGO DO KREMLIN

GIULIANO DA EMPOLI

O MAGO DO KREMLIN

Tradução: Julia da Rosa Simões

VESTÍGIO

Título original: *Le mage du Kremlin*

DIREÇÃO EDITORIAL
Arnaud Vin

EDITOR RESPONSÁVEL
Eduardo Soares

ASSISTENTE EDITORIAL
Alex Gruba

REVISÃO
Eduardo Soares

CAPA
Diogo Droschi
(sobre imagem de
Alex Linch/Shutterstock)

DIAGRAMAÇÃO
Waldênia Alvarenga

Dados Internacionais de Catalogação na Publicação (CIP)
Câmara Brasileira do Livro, SP, Brasil

Da Empoli, Giuliano
O mago do Kremlin / Giuliano Da Empoli ; tradução Júlia da Rosa Simões. -- 1. ed. -- São Paulo : Vestigio, 2022.

Título original: *Le mage du Kremlin*

ISBN 978-65-86551-93-8

1. Ficção francesa 2. Rússia 3. Poder 4. Propaganda I. Título.

22-128669 CDD-843

Índices para catálogo sistemático:
1. Ficção : Literatura francesa 843

Cibele Maria Dias - Bibliotecária - CRB-8/9427

A **VESTÍGIO** É UMA EDITORA DO **GRUPO AUTÊNTICA**

São Paulo
Av. Paulista, 2.073 . Conjunto Nacional
Horsa I . Sala 309 . Cerqueira César .
01311-940 São Paulo . SP
Tel.: (55 11) 3034 4468

Belo Horizonte
Rua Carlos Turner, 420
Silveira . 31140-520
Belo Horizonte . MG
Tel.: (55 31) 3465 4500

www.editoravestigio.com.br
SAC: atendimentoleitor@grupoautentica.com.br

Este romance é inspirado em fatos e personagens reais,
a quem o autor atribui vidas privadas e palavras imaginárias.
Trata-se, no entanto, de uma verdadeira história russa.

Para Alma

A vida é uma comédia.
Devemos representá-la com seriedade.

Alexandre Kojève

1

Fazia tempo que as coisas mais diversas eram ditas a seu respeito. Havia os que afirmavam que ele se recolhera a um monastério no Monte Atos, para rezar entre pedras e lagartos, outros juravam tê-lo visto numa mansão de Sotogrande, perambulando entre modelos cocainômanas. Alguns também asseguravam ter localizado seu paradeiro no aeroporto de Xarja, no quartel-general das milícias de Donbass ou nas ruínas de Mogadíscio.

Desde que Vadim Baranov pedira demissão do cargo de conselheiro do presidente, o Czar, as histórias sobre ele, em vez de se extinguirem, se multiplicavam. Coisas assim podem acontecer. A maioria dos homens de poder deve a aura que os cerca à posição que ocupam. Assim que a perdem, sua ascendência se desfaz. Eles se esvaziam, como um boneco de posto de gasolina. Cruzamos com eles na rua e não conseguimos entender como um dia despertaram tantas paixões.

Baranov pertencia a uma casta diferente. Ainda que, na verdade, eu não soubesse dizer qual. Suas fotografias mostravam um homem corpulento, mas não atlético, quase sempre vestido de cores escuras e ternos ligeiramente grandes. Ele tinha um rosto banal, talvez um pouco infantil, a tez pálida, os cabelos pretos e muito lisos, com um corte de primeira comunhão. Num vídeo gravado nos bastidores de uma reunião oficial, ele aparecia rindo, coisa muito rara na Rússia, onde um simples sorriso é considerado sinal de imbecilidade. Na verdade, ele dava a impressão de não se preocupar nem um pouco com a aparência. Fato curioso, se pensarmos que seu trabalho era exatamente esse: dispor espelhos de modo a transformar faíscas em encantamento.

Baranov vivia cercado de enigmas. A única coisa mais ou menos certa era sua influência sobre o Czar. Durante os quinze anos em que esteve a seu serviço, contribuiu de maneira decisiva para a edificação de seu poder.

Chamavam-no de "mago do Kremlin", ou "novo Rasputin". Na época, ele não tinha um papel definido. Simplesmente aparecia no gabinete do presidente depois que os assuntos correntes tinham sido despachados. Não eram os secretários que o avisavam. Talvez o próprio Czar o convocasse pela linha direta. Ou ele mesmo adivinhasse o momento certo, graças a seus talentos prodigiosos, dos quais todo mundo falava mas que ninguém sabia definir ao certo. Às vezes alguém se juntava a eles. Um ministro em evidência ou o diretor de uma empresa estatal. Em Moscou, porém, como ninguém nunca diz nada, por uma questão de princípios e há séculos, nem a presença dessas testemunhas ocasionais conseguia explicar as atividades noturnas do Czar e de seu conselheiro. Acontecia, porém, de as pessoas serem informadas de suas consequências. Um dia, a Rússia acordou com a notícia da prisão do empresário mais rico e mais conhecido do país, símbolo do novo sistema capitalista. Outra manhã, todos os presidentes das repúblicas da Federação, eleitos pelo povo, tinham sido demitidos. O Czar em pessoa e mais ninguém os nomearia dali por diante, disseram os primeiros boletins do dia aos cidadãos ainda semiadormecidos. Na maioria dos casos, porém, os frutos dessas insônias permaneciam invisíveis. Alguns anos depois é que se notavam mudanças que então pareciam totalmente naturais, mas que na verdade eram produto de uma atividade meticulosa.

Na época, Baranov era muito discreto, não se mostrava em público, e a ideia de dar uma entrevista nunca lhe passaria pela cabeça. Mas ele tinha uma singularidade. De tempos em tempos, gostava de escrever, seja um pequeno ensaio publicado por uma obscura revista independente, seja um estudo de estratégia militar destinado ao topo da hierarquia do exército, às vezes até uma narrativa, na qual fazia prova de um estilo paradoxal dentro do que a tradição russa tinha de melhor. Ele nunca assinava esses textos com o próprio nome, mas os enchia de alusões, que eram chaves de interpretação para o novo mundo resultante das insônias do Kremlin. Em todo caso, era nisso que acreditavam os cortesãos moscovitas e as chancelarias estrangeiras, que rivalizavam para ser os primeiros a decifrar as fórmulas obscuras de Baranov.

O pseudônimo por trás do qual ele se escondia nessas ocasiões, Nicolas Brandeis, constituía um elemento de confusão adicional. Os mais zelosos reconheciam sob esse nome um personagem menor de um romance secundário de Joseph Roth: um tártaro, espécie de *deus ex machina*, que aparecia nos momentos decisivos da trama e em seguida desaparecia. "Não é preciso nenhum vigor para conquistar o que quer que seja", ele dizia, "tudo está podre e se desfaz; soltar e deixar acontecer, é isso que importa." Assim como os personagens do romance de Roth se interrogavam sobre as ações do tártaro cuja formidável indiferença era a garantia de seu sucesso, as hierarquias do Kremlin, e os que as cercavam, caçavam os menores indícios capazes de revelar o pensamento de Baranov e, através dele, as intenções do Czar. Uma missão tanto mais desesperada porque o mago do Kremlin estava convencido de que o plágio era a base do progresso: razão pela qual nunca se sabia a que ponto ele expressava suas próprias ideias ou brincava com as dos outros.

A apoteose desse equívoco se deu numa noite de inverno em que uma massa compacta de sedãs de luxo, com seu cortejo de sirenes e guarda-costas, afluiu a um pequeno teatro de vanguarda onde era apresentada uma peça em um ato de um certo Nicolas Brandeis. Banqueiros, magnatas do petróleo, ministros e generais do FSB*, com suas amantes cobertas de safiras e rubis, foram vistos fazendo fila para ocupar as poltronas gastas de uma sala que até então eles nem desconfiavam existir, a fim de assistir a um espetáculo que, do início ao fim, zombava dos tiques e das pretensões culturais dos banqueiros, magnatas do petróleo, ministros e generais do FSB. "Num país civilizado, haveria uma guerra civil", afirmava o herói da peça em dado momento, "mas aqui não temos cidadãos, então veremos uma guerra entre lacaios. Não é pior que uma guerra civil, mas é um pouco mais repugnante, mais miserável." Naquela noite, Baranov não foi visto na sala, mas, por prudência, os banqueiros e os ministros aplaudiram de pé: corria o rumor de que o autor observava a plateia através de uma minúscula abertura situada à direita dos camarotes.

---

* FSB: o Serviço Federal de Segurança da Federação Russa. [N.T.]

Mas nem essas distrações um tanto pueris conseguiam dissipar o mal-estar de Baranov. A partir de um certo momento, o pequeno número de pessoas que tinha ocasião de frequentá-lo começou a perceber seu humor cada vez mais sombrio. Diziam que estava inquieto, cansado. Que pensava em outra coisa. Que começara cedo demais e que agora se aborrecia. Consigo mesmo, principalmente. E com o Czar – que, por sua vez, não se aborrecia nunca. E percebia isso. E começava a odiá-lo. Como! Eu o conduzi até aqui e você ousa se aborrecer? Nunca devemos subestimar a natureza sentimental das relações políticas.

Até o dia em que Baranov desapareceu. Uma breve nota do Kremlin anunciou a demissão do conselheiro político do presidente da Federação Russa. Com exceção de supostas aparições periódicas mundo afora, que ninguém nunca confirmava, todas as pistas de seu paradeiro se perderam completamente.

Quando cheguei a Moscou, alguns anos depois, a lembrança de Baranov pairava sobre a cidade como uma sombra fugidia que, emancipada de um corpo aliás digno de nota, estava livre para se manifestar aqui e ali, sempre que parecia útil evocá-lo para ilustrar uma medida particularmente obscura do Kremlin. E visto que Moscou – indecifrável capital de uma nova época cujos contornos ninguém conseguia definir – se vira inesperadamente no centro das atenções, o antigo mago do Kremlin tinha seus exegetas até mesmo entre nós, os estrangeiros. Um jornalista da BBC dirigira um documentário no qual atribuía a Baranov a responsabilidade pelo uso em política dos artifícios do teatro vanguardista. Um colega seu escrevera um livro em que o descrevia como uma espécie de prestidigitador que fazia personagens e partidos aparecerem e desapareceram com um simples estalar de dedos. Um professor lhe dedicara uma monografia intitulada "Vadim Baranov e a invenção da Fake Democracy". Todos se perguntavam sobre suas atividades mais recentes. Ele ainda exercia alguma influência sobre o Czar? Que papel desempenhara na guerra contra a Ucrânia? E qual tinha sido sua contribuição na elaboração da estratégia de propaganda que produzira efeitos tão extraordinários sobre o equilíbrio geopolítico do planeta?

Pessoalmente, eu seguia essas elucubrações com certo distanciamento. Os vivos sempre me interessaram menos que os mortos. Sempre me senti perdido no mundo, até descobrir que podia passar a maior parte de meu tempo na companhia deles, em vez de me incomodar com meus contemporâneos. Era por isso que na época, em Moscou, como em qualquer outro lugar, eu frequentava sobretudo as bibliotecas e os arquivos, alguns restaurantes e um café, onde os garçons aos poucos se acostumavam com minha presença solitária. Eu folheava livros velhos, caminhava sob a luz pálida do inverno e emergia todos os fins de tarde dos vapores dos banhos da Rua Seleznevskaya. À noite, um pequeno bar do Kitai-Gorod fechava generosamente as portas do descanso e do esquecimento sobre mim. A meu lado, por quase toda parte, seguia um magnífico fantasma no qual eu reconhecera um aliado em potencial dos raciocínios a que eu me dedicava.

À primeira vista, Ievguêni Zamiátin era um autor do início do século XX, nascido numa aldeia de ciganos e ladrões de cavalos, preso e enviado ao exílio pela autoridade czarista por participação na revolução de 1905. Escritor admirado por seus textos, ele também tinha sido engenheiro naval na Inglaterra, onde construíra navios quebra-gelo. De volta à Rússia em 1918 para participar da revolução bolchevique, Zamiátin logo entendera que o paraíso da classe operária não estava na ordem do dia. E começara a escrever um romance: *Nós*. E então se produzira um desses fenômenos incríveis que nos permitem entender o que os físicos querem dizer com a teoria da existência simultânea de universos paralelos.

Em 1922, Zamiátin deixara de ser um simples escritor e se tornara uma máquina do tempo. Ele acreditava estar escrevendo uma crítica feroz ao sistema soviético em construção. Seus censores também o leram assim, razão pela qual proibiram a publicação do livro. Na verdade, Zamiátin não se dirigia a eles. Sem se dar conta, ele pulara um século e dialogava diretamente com nossa época. *Nós* retratava uma sociedade governada pela lógica, onde todas as coisas eram convertidas em números, e onde a vida de cada indivíduo era regulada nos mínimos detalhes para garantir o máximo de eficácia. Uma ditadura implacável mas confortável, que permitia que qualquer um compusesse três sonatas musicais em uma hora com o simples apertar de um botão, e onde as relações entre os sexos eram reguladas por um mecanismo automático que determinava os parceiros mais compatíveis e autorizava a cópula com todos eles. Tudo era transparente no mundo de Zamiátin, inclusive as ruas, onde membranas decoradas como obras de arte gravavam a conversa dos passantes. É claro que, num lugar como esse, o voto também era público: "Dizem que os antigos realizavam as eleições de uma maneira secreta, escondendo-se como ladrões", declara o personagem principal, D-503. "Para que era necessário todo esse mistério, até agora isso não foi esclarecido de maneira cabal [...]. Nós não temos nada para esconder ou do que nos envergonhar: celebramos nossas eleições abertamente, de maneira honesta, de dia. Eu vejo que todos votam no Benfeitor, e todos veem que eu voto no Benfeitor."

Desde que eu o descobrira, Zamiátin se tornara minha obsessão. Sua obra me parecia reunir todas as principais questões de nossa época. *Nós* não descrevia apenas a União Soviética, ele narrava o mundo liso e sem asperidades dos algoritmos, a matriz global em construção e, diante dela, a irremediável insuficiência de nossos cérebros primitivos. Zamiátin era um oráculo, ele não se dirigia unicamente a Stálin: ele alfinetava todos os futuros ditadores, os oligarcas do Vale do Silício e os mandarins do partido único chinês. Seu livro era a arma definitiva contra a colmeia digital que começava a cobrir o planeta, e meu dever consistia em desenterrá-la e apontá-la para a direção certa. O problema era que os meios à minha disposição não eram exatamente capazes de fazer Mark Zuckerberg ou Xi Jinping tremerem. Sob pretexto de que Zamiátin, depois de escapar de Stálin, terminara seus dias em Paris, eu conseguira convencer minha universidade a financiar uma pesquisa sobre ele. Uma editora manifestara um vago interesse no projeto de reedição de *Nós* e um amigo produtor de documentários não se mostrara hostil à ideia de transformar o material em alguma coisa. "Tente descobrir algo enquanto estiver em Moscou", ele me dissera, bebericando um Negroni num bar do 9º *arrondissement*.

Assim que cheguei a Moscou, porém, fui distraído de minha missão pela descoberta de que essa cidade impiedosa era capaz de produzir delicados encantamentos, como os que eu sentia ao me aventurar pelas ruelas geladas de Petrovka e Arbat. A morosidade que emanava das impenetráveis fachadas stalinistas se dissipava nos pálidos reflexos das antigas residências boiardas, e a própria neve, transformada em lama pelas rodas da interminável procissão de sedãs pretos, recuperava a pureza nos pátios e pequenos jardins ocultos que murmuravam histórias de um tempo já passado.

Todas essas temporalidades, os anos 1920 de Zamiátin e o futuro distópico de *Nós*, as cicatrizes de Stálin gravadas na cidade e os vestígios mais agradáveis da Moscou pré-revolucionária, se cruzavam em mim, produzindo o descompasso que então constituía minha condição normal de vida. No entanto, eu não me desinteressava completamente do que acontecia a meu redor. Na época, eu tinha parado de ler os jornais, mas as redes sociais satisfaziam com abundância minhas limitadas necessidades de informação.

Entre os perfis russos que eu seguia, havia em especial o de um certo Nicolas Brandeis. Tratava-se provavelmente de um estudante, falando de seu quarto em Cazã, e não o mago do Kremlin, mas na dúvida eu lia suas postagens. Na Rússia, ninguém nunca sabe de nada, ou você se conforma com isso ou vai embora. Não havia muita coisa para ler, portanto, Brandeis postava uma frase a cada dez ou quinze dias, nunca comentava as notícias atuais, camuflava fragmentos literários, citava estrofes de canções ou mencionava a *Paris Review* – o que reforçava a tese do estudante de Cazã.

"Tudo é permitido no Paraíso, menos a curiosidade."

"Se seu amigo morreu, não o enterre. Fique um pouco afastado e espere. Os abutres virão e você fará um monte de amigos novos."

"Não há nada mais triste do que ver como uma família saudável e forte pode ser despedaçada por uma estúpida banalidade. Por exemplo uma matilha de lobos."

O jovem tinha um senso de humor um pouco sombrio, bastante adequado ao temperamento local.

Uma noite, em vez de me dirigir ao bar habitual, fiquei em casa lendo. Eu alugara dois quartos no último andar de um prédio charmoso dos anos 1950, construído por prisioneiros de guerra alemães, uma espécie de símbolo do prestígio moscovita: poder e conforto burgueses construídos, como sempre, sobre uma sólida base de opressão. À janela, as luzes alaranjadas da cidade eram amortecidas pelas rajadas de uma nevasca nervosa. Dentro do apartamento, reinava o clima de improvisação que tendo a reproduzir em todos os lugares que ocupo: pilhas de livros, caixas de fast-food e garrafas de vinho pela metade. A voz de Marlene Dietrich emprestava seu toque decadente ao ambiente, reforçando a sensação de estranheza que constituía então minha principal fonte de prazer.

Eu trocara Zamiátin por um texto de Nabokov, que como sempre me deixava com sono: o hóspede do Montreux Palace sempre fora refinado demais para o meu gosto. Sem que eu me desse conta, a cada dois minutos meus olhos saíam do livro em busca de alívio e inevitavelmente pousavam sobre o maldito tablet. Na tela, perdido entre as vociferações do momento e fotos de coalas, surgiu de repente uma frase: "Entre nossas paredes transparentes, como se fossem tecidas de ar brilhante, vivemos sempre em plena vista, eternamente banhados pela luz. Não temos nada a esconder uns dos outros". Zamiátin. Vê-lo no feed de notícias produziu em mim o efeito de uma martelada. Na mesma hora, acrescentei ao tuíte de Brandeis a frase seguinte de *Nós*: "Além do mais, isso alivia o nobre e pesado trabalho dos Guardiões. De outro modo, quem sabe o que poderia acontecer".

Atirei o tablet para longe e me obriguei a retomar a leitura do livro. Na manhã seguinte, para se vingar por ter sido deixado embaixo das almofadas, o objeto infernal me notificou o recebimento de uma nova mensagem. "Não sabia que ainda se lia Z. na França." Brandeis me escrevera às três horas da manhã. Respondi sem pensar: "Z é o rei secreto de nossa época". Então uma pergunta surgiu na tela: "Você fica em Moscou até quando?".

Breve momento de hesitação: como o jovem estudante sabia de minha localização? Percebi que era possível deduzir, a partir de alguns de meus tuítes das últimas semanas, talvez lendo nas entrelinhas, que eu estava em Moscou. Respondi que ainda não sabia ao certo e desci à cidade gelada para os rituais cotidianos de minha existência solitária. Quando voltei, uma nova mensagem me esperava. "Se ainda estiver interessado em Z, tenho algo para lhe mostrar."

Por que não? Eu não tinha nada a perder. No pior dos casos, conheceria um estudante apaixonado por literatura – um pouco lúgubre, talvez, mas nada que algumas doses de vodca não pudessem aliviar.

2

O carro me esperava no acostamento, com o motor ligado. Um Mercedes preto, modelo do ano: a unidade básica de transporte moscovita. Dois homens robustos fumavam em silêncio fora do veículo. Um deles me viu, abriu a porta de trás para mim e se sentou ao lado do motorista.

Não fiz nenhuma tentativa de puxar conversa. A experiência me ensinara que eu só tiraria monossílabos de meus acompanhantes. Os habitantes locais os chamam de "selos", porque eles se colam a seus protegidos. São sujeitos pouco loquazes, que transmitem uma sensação de calma. Uma vez por semana, eles jantam com suas mães e levam para elas flores e caixas de bombons. Eles acariciam as cabecinhas loiras das crianças sempre que têm ocasião. Alguns colecionam rolhas de garrafas de vinho, outros lavam suas motos. Os sujeitos mais pacíficos do mundo. Exceto nas raras vezes em que deixam de sê-lo. Nesses momentos, a coisa muda de figura: melhor não estar por perto para ver.

Diante de meus olhos, os contornos da cidade bem-amada passavam rapidamente. Moscou. A mais triste e mais bonita das grandes capitais imperiais. Depois surgiram os bosques intermináveis e escuros que, em minha cabeça, eram os mesmos que continuavam sem interrupção até a Sibéria. Eu não tinha a menor ideia de onde estávamos. Meu celular parara de funcionar quando entrei no carro. E o GPS marcava obstinadamente nossa posição no polo oposto da cidade.

Em dado momento, saímos da rodovia para pegar um caminho que entrava na floresta. O carro quase não diminuiu a velocidade, enfrentando a trilha florestal com o mesmo ardor com que agredira a autoestrada; que não viessem dizer que um motorista russo se deixava intimidar por uma estúpida banalidade, como uma matilha de lobos. Continuamos a avançar no escuro, não por muito tempo mas o suficiente para alimentar sombrias premonições. A curiosidade zombeteira que até então me acompanhava dava lugar a uma certa apreensão. Na Rússia, eu pensava comigo mesmo, tudo costumava dar certo, mas quando as coisas davam errado, elas davam realmente muito errado. Em Paris, a pior coisa que pode acontecer é comer num restaurante superestimado, ser olhado com desprezo por uma mulher bonita, receber uma multa de trânsito. Em Moscou, a gama de experiências desagradáveis é consideravelmente mais ampla.

Chegamos a um portão. De dentro da guarita, um homem esboçou uma sutil saudação. O Mercedes finalmente começou a avançar mais comportadamente. Avistei por entre as bétulas um pequeno lago, no qual nadavam alguns cisnes, como pontos de interrogação dirigidos à noite. O carro dobrou uma última vez e parou na frente de uma grande construção neoclássica branca e amarela.

Desci do carro e me senti diante de uma casa de Hamburgo incrustada na bacia do Alster, em vez de na mansão de um oligarca. A residência de um médico, de um advogado ou de um banqueiro calvinista, dedicado ao trabalho e pouco propenso à ostentação. Na entrada, o perfil hesitante de um senhor de idade, num traje de veludo, era um contraste singular aos dois energúmenos que tinham me conduzido até ali. Se estes decididamente pertenciam à cidade luminosa e cruel da qual saíramos, a figura do mordomo, um pouco cansada, parecia ter sido escolhida por seu patrão para presidir um mundo privado e mais antigo.

Passada a porta, um vestíbulo com painéis de cortiça acolhia o visitante. Nenhuma concessão ao estilo contemporâneo tão na moda em outros lugares. Em vez disso, nas diferentes peças que comecei a atravessar conduzido por meu frágil Caronte, uma profusão de móveis marchetados e candelabros acesos, molduras douradas e tapetes chineses, que criavam uma atmosfera calorosa, para a qual contribuíam os vidros foscos e as grandes estufas de porcelana decorada. A impressão de severa harmonia que eu tivera ao entrar na casa aumentava a cada sala, até chegarmos a um gabinete onde o mordomo me fez sinal para sentar num pequeno divã luxuoso que não faria feio na sala de espera de um personagem de *Guerra e Paz*. Na parede à minha frente, o retrato a óleo de um homem idoso, vestido de bobo da corte, me encarava com ar zombeteiro.

Olhei ao redor, maravilhado e um pouco surpreso. Se em outros lugares o luxo produzia um efeito de distração, ali ele passava uma sensação de força e recolhimento.

– O senhor esperava o quê, torneiras de ouro?

Baranov sorria. Ele não soara sarcástico, mas calmo, como um homem acostumado a invadir os pensamentos dos outros. Ele se materializara a meu lado sem eu perceber, tendo provavelmente saído de uma porta lateral. Usava um roupão escuro, macio, de aparência cara. Balbuciei uma resposta, mas o russo não me deu atenção.

– Perdoe-me a hora. Adquiri esse mau hábito e não consigo me livrar dele.

– O senhor não é o único – respondi, aludindo à efervescência da vida noturna moscovita, mas percebendo que a frase poderia soar como uma menção aos hábitos do Czar.

Um pensamento fugaz pareceu cruzar seu olhar de chumbo.

– De todo modo, é um prazer estar aqui. Que lugar magnífico.

Assim que pronunciei essas palavras, senti pela primeira vez os olhos de Baranov sobre mim: veio até aqui para me aborrecer como os outros?

O russo continuava de pé.

– Então o senhor é um leitor de Zamiátin – ele retomou, caminhando na direção da porta pela qual entrara. – Venha comigo, quero lhe mostrar uma coisa.

Entramos numa sala com as paredes totalmente cobertas de livros, uma grande biblioteca que combinaria com um mosteiro beneditino. Nas estantes brilhavam milhares de volumes antigos, iluminados pelo reflexo do fogo que ardia na imponente lareira de pedra.

– Eu não sabia que o senhor colecionava livros antigos.

Eu não parava de dizer obviedades.

– Eu não coleciono livros. Eu leio livros. São duas coisas diferentes.

O russo parecia irritado. Colecionadores eram mesquinhos, pessoas que viviam obcecadas por um controle que nunca alcançariam. Baranov não se considerava uma delas.

– Na verdade, nem todos são meus. Herdei muitos de meu avô.

Mal consegui conter um movimento de surpresa. Herdar uma biblioteca de livros antigos na União Soviética não era, propriamente falando, a coisa mais natural do mundo.

– Mas isto aqui, eu que encontrei.

Baranov ainda não estava a fim de dar explicações. Ele tirara algumas folhas manuscritas de uma pasta de couro.

– Dê uma olhada – ele me disse, estendendo-me as páginas amareladas.

Era uma carta escrita em caracteres cirílicos, datada de 15 de junho de 1931, em Moscou. Comecei a ler.

Caro Iossif Vissariónovitch,

O autor da presente, condenado à pena capital, se volta a ti para pedir a comutação de sua pena. Meu nome provavelmente te é conhecido. Para mim, enquanto autor, ser privado da faculdade de escrever equivale a uma condenação à morte.

Ergui os olhos. Baranov fingia folhear um livro, para me dar tempo de respirar.

– É o original da carta de Zamiátin a Stálin – ele disse, sem olhar para mim. – Pedindo autorização para deixar a URSS.

Continuei encarando o russo por um bom tempo depois de sua explicação. Eu não conseguia acreditar no que tinha nas mãos. Mas encontrei forças para continuar a leitura.

Não afirmo ser inocente. Sei que tenho o hábito, muito inconveniente, de dizer o que considero verdade, em vez de falar o que me seria útil no momento. Nunca escondi minha atitude no que concerne o servilismo literário, a adulação e os camaleões que mudam de cor. Considero-os degradantes para o escritor e para a revolução.

Mergulhei na leitura por algum tempo. Quando ergui os olhos, Baranov me observava.

– É uma das mais belas súplicas dirigidas por um artista a Stálin. Zamiátin não se rebaixa em momento algum. Ele fala com sinceridade, como um ex-bolchevique. Que enfrentou as tropas do czar, sobreviveu ao exílio e voltou para fazer a revolução. O único problema é que ele entendeu tudo rápido demais e cometeu a imprudência de escrever sobre isso.

Do alto de minha recente intimidade com o autor, senti-me no dever de intervir. Eu disse então algumas banalidades sobre a irredutível tensão entre a arte e o poder, sobre o caráter nômade de Zamiátin, sobre sua convicção, ainda que revolucionária, de que a vitória de uma ideia determinava seu aburguesamento automático. Baranov me olhava com a amável atitude do amigo da família obrigado a assistir à apresentação de final de ano escolar dos filhos. Quando ele sentiu que eu esgotara meu assunto, falou:

– Sim, exatamente. Mas penso que há algo mais. Zamiátin tentou detê-lo, ele entendeu que Stálin não era um político, mas um artista. Que o futuro que estava em jogo não dizia respeito à competição de duas visões políticas, mas de dois projetos artísticos. Nos anos 1920, Zamiátin e Stálin são dois artistas de vanguarda que rivalizam pela supremacia. As forças são desproporcionais, é claro, pois o material de Stálin é a carne e o sangue dos homens, sua tela é uma nação imensa, seu público, todos os habitantes do planeta que murmuram com reverência seu nome em centenas de línguas. O que o poeta realiza na imaginação, o demiurgo impõe no palco da história mundial. Nessa luta, Zamiátin está praticamente isolado, mas tenta resistir à nova ordem. Ele sabe que a arte de Stálin leva inevitavelmente ao campo de concentração, porque no projeto destinado a regular a vida do Novo Homem não há lugar para a heresia. É por isso que, embora ele seja um engenheiro, Zamiátin luta com as armas da literatura, do teatro, da música; ele entende que, se o poder esmagar a dissonância, o gulag será apenas uma questão de tempo. Se as harmonias ilícitas forem reprimidas, logo só haverá lugar para as marchas militares. A tonalidade menor, destoante dos ideais da nova sociedade, se tornará uma inimiga de classe. O modo maior! Apenas o modo maior! Todos os caminhos levam ao modo maior! A música, mesmo sem palavras, estará estritamente subordinada à palavra. E ninguém comporá mais nenhuma sinfonia que não seja para a glória do marxismo-leninismo.

Enquanto ele dizia essas palavras, uma ponta de emoção pela primeira vez tingia sua voz, como se ele não estivesse apenas analisando um acontecimento histórico.

– Zamiátin convence seu amigo Shostakovitch a compor *Lady Macbeth do Distrito de Mtsensk* – ele continuou – porque ele sabe que o futuro da URSS depende daquela representação. Que a única maneira de afastar os processos políticos e as depurações é através da singularidade do indivíduo que se rebela contra a ordem planejada. E Stálin se levanta, furioso, e sai do Bolshoi depois do terceiro ato porque ele sabe que a liberdade do compositor e de seus personagem é um desafio direto a seu poder, a seu projeto artístico global. Por isso ele manda publicar no *Pravda* o famoso artigo que acusa o compositor de dar espaço demais à sensualidade dos personagens, que se comportam de maneira "bestial". Na obra stalinista, só há lugar para os instintos bestiais de uma única pessoa. A frase de Lênin é interpretada ao pé da letra: "é necessário sonhar", mas o único sonho permitido é o de Stálin; todos os outros devem ser suprimidos.

Baranov fez uma pausa. O conforto da sala onde estávamos produzia um contraste singular com a aspereza dos fatos que ele evocava.

– Pensando bem – ele continuou –, a primeira metade do século XX, no fundo, não foi nada mais que isso: um enfrentamento titânico entre artistas. Stálin, Hitler, Churchill. Depois chegaram os burocratas, porque o mundo precisava descansar. Hoje, porém, os artistas voltaram. Olhe ao redor. Qualquer que seja o lado para o qual se vire, verá artistas de vanguarda que não querem descrever a realidade, mas criá-la. O estilo foi a única coisa que mudou. Hoje, em vez dos artistas de antigamente, vemos participantes de reality shows. Mas o princípio é o mesmo.

– O senhor é um deles?

– Claro que não. Interpretei o assessor por algum tempo. Agora estou aposentado.

– Não sente falta da adrenalina?

– Acredite, não existe maior desafio que o de acordar cedo todas as manhãs, tomar café e acompanhar a filha até a escola. Mas falando sério: só três ou quatro vezes na vida acho que realmente desejei alguma coisa. E quando isso acontecia, em geral eu conseguia o que queria. E o que desejo agora, garanto ao senhor, é apenas isso.

Baranov fez um gesto para a biblioteca, para o velho globo de madeira e para o fogo que ardia na lareira.

– E como os outros receberam essa notícia?

– Como acha que a receberam? Mal, é claro. No gabinete, todos são perdoados: ladrões, assassinos, traidores. Menos os desertores. Não querer uma coisa pela qual as pessoas estariam dispostas a matar? Os cortesãos não podem perdoar uma coisa dessas.

– E o Czar?

– Com o Czar é diferente. Ele vê e perdoa tudo.

Um brilho irônico atravessou o olhar opaco do russo.

– O senhor está escrevendo suas memórias?

– De modo algum.

– Mas teria tanta coisa para contar!

– Nenhum livro jamais estaria à altura do verdadeiro jogo de poder.

– Também poderíamos dizer o contrário.

Uma sombra passou por seus olhos. Baranov sorriu.

– O senhor tem razão. Permita-me reformular minha frase. Nenhum livro escrito por mim jamais estaria à altura do jogo de poder.

– O que é o poder, para o senhor?

– Sua pergunta é direta demais. O poder é como o sol e a morte, não pode ser encarado de frente. Principalmente na Rússia. Mas já que o senhor veio até aqui, se tiver um pouco de tempo, eu gostaria de lhe contar uma história.

Baranov se levantou e serviu dois copos com o uísque de uma garrafa de cristal. Ele me estendeu um e se sentou numa poltrona de couro. Depois de me encarar intensamente por um momento, ele voltou os olhos para seu copo.

– Meu avô foi um formidável caçador – ele disse, pausadamente.

3

– Meu avô foi um formidável caçador. Quando ele estava em casa, não era capaz de vestir o roupão sem a ajuda de um criado, mas para caçar um lobo ele podia passar noites inteiras na floresta, ao relento. Antes da revolução, aquilo era apenas um passatempo. Ele estudava Direito e poderia ter seguido qualquer carreira na burocracia do czar. Quando os bolcheviques tomaram o poder, a caça foi a única coisa que lhe restou. No fundo, eles o libertaram, embora ele, obviamente, nunca admitisse isso. Ele odiava os comunistas. Seus cães tinham os nomes de alguns líderes. "Aqui, Molotov!", "Deitado, Beria!". Felizmente, ele vivia isolado e ninguém jamais o denunciou. Meu pai, quando criança, já percebia a extravagância de meu avô. Sentia vergonha. E acho que medo, acima de tudo. Estava certo, tendo em vista o que acontecia à época. Meu avô, porém, não estava nem aí. E as coisas andavam bem para ele. Em dado momento, ele começou a escrever livros de caça: como adestrar cães e reconhecer o rastro de certos animais, esse tipo de coisa. Ele acrescentava anedotas, descrevia personagens estranhos com quem compartilhava sua paixão, inseria algumas citações de Turguêniev.

Os leitores adoravam. Encontravam em seus livros um pouco da leveza dos velhos tempos, circunscrita a um tema limitado, o que a tornava tolerável aos olhos do poder. Com o tempo, meu avô se tornou uma espécie de autoridade. Em 1954, quando os lobos se espalharam pelo Cáucaso, ele foi colocado à frente de uma expedição governamental encarregada de caçá-los. Tornou-se praticamente um funcionário, mas nunca mudou. Tinha a típica insolência da aristocracia russa. Preferia ser enforcado a deixar um gracejo passar.

Lembro-me de como zombava de meu pai, quando eu era pequeno: "Parabéns, Kolya, se continuar assim, Brejnev o pegará no colo durante o desfile de 9 de maio!". Ou: "Sabia que os funcionários do Partido se dividem em duas categorias? – Sim, papai, você já me disse. – Os bons para nada e os dispostos a tudo. Eu me pergunto a que categoria você pertence, Kolya!".

Papai estremecia. Ele era o exato oposto de meu avô. Desde a infância, acho que sua principal preocupação era se manter longe dos problemas. Assim que pôde, entrou para o Movimento dos Pioneiros, depois para o Komsomol. Imagino que queria ser perdoado pela excentricidade do pai, por suas origens aristocráticas. Ele queria ser como todo mundo. O que posso entender. Mas aquela também era uma forma de rebelião. Quando se cresce ao lado de um personagem tão fora do comum, a única revolta possível é o conformismo.

Seja como for, todos os verões eu era despachado para o campo, para a casa de meu avô. Ele morava numa espécie de isbá construída com troncos de álamo, na saída da aldeia. Por fora, tudo era muito rústico: a casa era cercada por uma horta de pepinos, batatas, arbustos frutíferos e algumas macieiras. Havia também uma pequena mesa, com cadeiras de ferro fundido tão enferrujadas que pareciam ter passado vários séculos no fundo do Rio Neva. Mas quando entrávamos na casa, percebíamos que meu avô conseguira recriar, não sei como, a atmosfera do passado. Não que a pequena sala de estar ou a sala de jantar estivessem mobiliadas de maneira luxuosa, mas uma sensação de prosperidade tranquila, completamente estranha à época, pairava no ar, com um aroma de chá que vinha do samovar sempre aceso. Não faltavam troféus de caça e peles de animais, que tinham sua presença atenuada por uma delicadeza que levara o dono da casa a dispô-los entre objetos inesperados: estatuetas chinesas, um bezoar e alguns livros com encadernações refinadas deixados negligentemente sobre a mesa de bétula. Vestígios de uma elegância que eu não hesitaria em chamar de feminina, se eu esquecesse a que ponto meu avô abominava a ideia de conviver com o outro sexo. Sua mulher, a mãe de meu pai, morrera de peritonite aos vinte e três anos, e o fato parecia ter encerrado de uma vez por todas o capítulo de sua vida sentimental. Ele tinha algumas amigas, mais ou menos apresentáveis, que o visitavam de tempos em tempos. Mas nenhuma ficava mais que algumas horas naquele templo dedicado aos deuses da caça, da literatura e das amizades viris cultivadas com ditos sarcásticos e grandes bebedeiras.

A casa era mantida por Zakhar e Nina, um casal de camponeses que oficialmente trabalhava no colcoz, mas que na verdade substituía os antigos criados. Meu avô era um formidável cavaleiro, mas não sabia dirigir um carro. Quando ele precisava ir a algum lugar, Zakhar tirava o velhíssimo Volga da garagem e lhe servia de motorista.

A única concessão que meu avô fazia a um mínimo de prudência consistia em se sentar democraticamente a seu lado, e não no banco de trás. Acompanhá-lo era sempre uma aventura, mesmo que para fazer simples compras na aldeia. Sempre se passavam coisas que só aconteciam com ele. Como se ele estivesse rodeado por uma espécie de aura nostálgica e desenvolta que o protegesse da aridez da época e pudesse produzir, a qualquer momento, condições para uma improvisada celebração. Ele entrava no mais sinistro café estatal e, imediatamente, um pouco da magia de outrora se recriava a seu redor. Mesmo sentado numa cadeira de plástico sobre um piso de linóleo cinza, alguma coisa em sua pessoa trazia à mente a imagem de bailes e garrafas de champanhe abertas com golpes de sabre. As pessoas, geralmente perfeitos desconhecidos, sentiam seu calor e se aproximavam sem saber direito por que, atraídas pelo carisma daquele velho elegante, sempre muito cortês, que desfiava histórias de outros tempos, como se estivesse num salão de São Petersburgo. Eu às vezes avistava, sentado em outra mesa, um apparatchik de mau humor olhando torto para ele. Mas ninguém ousava tocá-lo. Não sei como meu avô sobrevivera aos expurgos do stalinismo, mas com o passar do tempo o regime perdia a crueldade. Ele era tolerado, principalmente porque não parecia se interessar nem um pouco por política.

Seus amigos eram sobretudo caçadores. Havia um pouco de tudo entre eles. Aristocratas decaídos, como ele, mas também camponeses e bandidos siberianos. E até alguns comunistas "domesticados", como ele chamava os membros do Partido que conseguira aliciar com conversas nostálgicas e bebedeiras copiosas. No início do inverno, eles atiravam as garrafas de vodca vazias no jardim, para encontrá-las na primavera quando a neve derretia. Enquanto isso, eles se refugiavam dentro de casa e ao menos duas vezes por semana jogavam cartas. Eles se contavam histórias de caça e comentavam as notícias, do jeito deles, principalmente com zombarias.

"Sabe o que é um duo soviético? Um quarteto que saiu em turnê no exterior."

"Uma comissão de inspetores visita um hospício. Os pacientes os recebem cantando: 'Como é bom viver em terras soviéticas!'. Mas a comissão nota que um homem se mantém calado. 'Por que não canta?', perguntam-lhe. 'Eu sou enfermeiro, não louco!'."

"O camarada Khrushchov visita uma fazenda de porcos e é fotografado. No *Pravda*, os diagramadores discutem a legenda da imagem: 'O camarada Khrushchov entre os porcos', 'O camarada Khrushchov e os porcos', 'Os porcos em torno do camarada Khrushchov'? Todas as sugestões são recusadas. No fim, o diretor toma uma decisão. A legenda escolhida é: 'O camarada Khrushchov, terceiro à direita'."

As gargalhadas explodiam, os tapinhas nas costas abundavam e as garrafas se esvaziavam umas depois das outras. Mas é preciso dizer que a casa de meu avô nem sempre transbordava de vida. Ele gostava de ficar sozinho. Dizia que era porque não suportava os comunistas. Na verdade, teria sido um misantropo sob qualquer regime. Acho que herdei um pouco de seu temperamento...

Baranov sorriu. Ele pegou a garrafa de uísque e se serviu de uma boa dose.

– Uma noite, estávamos sentados em frente à lareira e meu avô me contou as aventuras das tropas do czar, que ocuparam Paris depois da queda de Napoleão. Em especial as peripécias de um certo Yurko, alcoólatra inveterado e companheiro de regimento de um de nossos ancestrais na guarda imperial. Chegando em Paris, esse Yurko correu até uma farmácia e, tendo encontrado uma garrafa de álcool médico, bebeu-a acompanhada de dois pequenos pepinos, que carregava especialmente para a ocasião. Diante daquele espetáculo, o farmacêutico foi tomado de pânico e se imaginou diante de um pelotão de fuzilamento, por envenenamento de militar russo. Ele correu até o acampamento mais próximo, se atirou sobre o primeiro oficial com ar mais ou menos civilizado, Vassily Baranov, e começou a contar vivamente que não tinha nada a ver com a morte iminente de Yurko, que entornara uma garrafa antes mesmo de o farmacêutico ter tempo de dizer uma palavra. Naquele ponto, nosso ancestral o interrompeu. "O senhor não conhece muitos soldados russos, não é mesmo?" O farmacêutico sacudiu a cabeça. "Mas o conceito de imunidade lhe é familiar, não?" O farmacêutico olhou para ele sem entender. "Veja bem, caro senhor, a vida na Rússia apresenta vários inconvenientes em relação à vida em Paris. Nossos queijos são menos variados, nossas mulheres sorriem pouco e nossas estradas estão quase sempre cobertas de gelo. Mas a vantagem é que tudo que não mata fortalece: com o passar dos séculos, o metabolismo dos russos teve tempo de se acostumar a muitas coisas." E com um gesto ele apontou para Yurko, que estava tranquilamente sentado ao lado de dois camaradas, jogando cartas, com uma garrafa de vodca pela metade sobre a mesa.

Meu avô caiu na gargalhada e continuou: "Quando eu tinha dezoito anos, também fui parar na guarda do czar. Fiquei muito orgulhoso, mas como você deve ter entendido, não foi uma grande façanha: antes de mim, meu pai e meu avô tinham servido no mesmo regimento e, pelo que sei, todos os Baranov antes deles também. Seja como for, fiquei como um pavão e todo mundo me cumprimentava: 'Que grande privilégio, Kolia, entrar para a guarda do czar, que sorte para os seus pais', etc. etc. Até que, um belo dia, durante os exercícios matinais, caí do cavalo e quebrei a bacia. Quebrar a bacia não foi nada. Todos os meus amigos me diziam: 'Que azar, Kolia, a estação dos bailes acabou de começar'. Fiquei desesperado, meus companheiros de regimento passavam de festa em festa, se pavoneando em seus uniformes de gala, e eu de cama, jogando cartas com a babushka. De repente, a guerra eclodiu e eles foram para o front. No primeiro assalto, todos foram massacrados pelas metralhadoras alemãs, coitados, enquanto eu continuava em casa, convalescendo, com um grande sentimento de culpa, é claro, mas também com todas as lindas moças de Petersburgo se acotovelando a meu redor para me consolar.

"Foi nessa época que conheci sua avó. Uma época difícil, mas tínhamos grandes planos, ao menos era o que pensávamos. A condição de nossa família e os estudos de Direito que eu acabava de concluir me abriam as portas para o alto funcionalismo. Eu começava a ser recebido na Corte, e meu sogro estava construindo um pequeno palacete na Avenida Nevski. O caminho parecia traçado, de uma vez por todas, mas de repente um bando de imbecis decidiu que o czar não servia mais, que nossa santa mãe Rússia precisava se tornar uma república. E a manobra deu certo, eles tomaram o poder! Depois chegaram os bolcheviques, que massacraram todo mundo, czaristas e republicanos.

"A revolução foi uma catástrofe sem precedentes. Mas é verdade que sem ela eu teria me tornado funcionário, no melhor dos casos cortesão. Nunca direi que o comunismo é uma boa coisa, mas é possível ser feliz sob qualquer regime... E acima de tudo, sabe de uma coisa, Vádia? Nunca sabemos nada. Você não controla as coisas que acontecem e, pior ainda, você não é sequer capaz de saber se elas são boas ou ruins. Você está aqui, você espera uma coisa, você a deseja com todas as suas forças. Ela finalmente acontece e, logo depois, você se dá conta de que sua vida foi um desperdício. Ou o contrário. O céu cai sobre sua cabeça e depois de um tempo você se dá conta de que foi a melhor coisa que podia ter acontecido. Acredite, a única coisa que você pode controlar é sua maneira de interpretar os acontecimentos. Se você partir da ideia de que não são as coisas, mas nossos julgamentos sobre elas que nos fazem sofrer, então você poderá aspirar a ter o controle de sua vida. Senão, estará condenado a matar moscas a tiros de canhão."

Ainda lembro do rosto de meu avô quando ele dizia essas palavras. Ele falava com seriedade, mas também com uma ponta de ironia, como se ficasse um pouco constrangido no papel de velho ranzinza. Mas ele seguia em frente. Os homens daquela geração queriam transmitir o que tinham entendido da vida, sentiam que era importante fazer isso. Acho que foram os últimos a pensar assim. A partir da geração de meu pai, mais ninguém pensou que valia a pena transmitir qualquer tipo de ensinamento. Nós nos tornamos *cool* demais, modernos demais. E vivemos com medo do ridículo. Ninguém quer ser um velho chato.

Meu avô não foi um patriarca do século XIX, ele já era um homem moderno. Tinha lido Kafka e Thomas Mann, mas estava disposto a correr o risco do ridículo para me dizer o que ele tinha a dizer. E lhe serei reconhecido para sempre por isso, porque, desde então, a ideia de que tateamos no escuro me acompanha. A ideia de que não sabemos o que é bom ou ruim para nós. Mas de que temos liberdade para decidir o sentido que damos às coisas que nos acontecem. E essa, no fundo, é nossa única força.

4

– Quem sabe como meu avô conseguiu levar a biblioteca da família para um lugar seguro? Imagino que ninguém jamais tenha tido coragem de mexer em suas coisas. Nem a família tinha autorização para subir ao sótão. De tempos em tempos, ele emergia do telhado com um livro na mão. "Tome, leia as *Memórias* de Casanova. Mas não diga nada a seu pai." No início, eram livros mais ou menos infantis. As *Fábulas* de La Fontaine ou os romances da condessa de Ségur. Depois, meu avô perdeu a paciência. Ele queria falar de livros com alguém, mesmo que com uma criança. Então ele começou a descer coisas diferentes. Acho que eu não tinha mais de dez anos quando ele me fez ler as *Memórias* do cardeal de Retz. Para mim, era um romance de capa e espada. Na época, eu tinha mais familiaridade com o Grande Condé e a duquesa de Longueville do que com o Mickey e o ursinho Pooh.

Baranov sorriu e, com um gesto, apontou para uma seção da biblioteca.

– Vários desses livros eram dele. Quase todos em francês. O auge da civilização, dizia meu avô. Seu mundo, aliás, se formara olhando para Paris. Copiando os comportamentos, as modas e os tiques franceses, beirando o ridículo. Sabia que Nesselrode, o famoso diplomata russo do Congresso de Viena, não falava russo? Ele comandou a política estrangeira do Império por quarenta anos e não falava nossa língua. Todo esse amor e toda essa paixão, não por si mesmo, mas por outro! E como esse amor foi retribuído? Com desprezo. Sempre, em todas as épocas, o mesmo maldito desprezo!

– Tome o filho da puta do Custine – disse Baranov, pegando outro livro. – O czar o acolheu como um irmão, o recebeu na Corte, modificou o protocolo para permitir que ele assistisse ao casamento de sua filha. E como Custine agradeceu? Com quatro volumes, mil cento e trinta páginas de descrições da Rússia como um inferno: "Por maior que seja esse império, ele não passa de uma grande prisão, e o imperador, que detém as chaves, é seu guardião, mas os guardiões não vivem muito melhor que os prisioneiros". Ou: "Os russos se interessam muito menos em ser civilizados do que em fazer com que acreditem que o são".

Meu avô detestava a "Viagem à Rússia". No entanto, ela o fascinava. "Esse maldito francês é o melhor intérprete da Rússia", ele dizia, "onde a Corte sempre foi a única maneira de se chegar ao poder e à riqueza. Apoiar-se nas paixões populares não serve de nada na Rússia: no fim, o vencedor sempre baseia seu poder na Corte. Por isso, o melhor meio é a adulação, não o talento; o silêncio, não a eloquência. Custine vê os nobres de Petersburgo passeando sem casaco no inverno para adular o czar. E eles morrem. Não há cafés para comentar os jornais, que não existem, e as notícias sempre mudam, dependendo de quem as conta à meia-voz. País de mudos, país da bela adormecida, país maravilhoso mas sem vida porque lhe falta o sopro da liberdade. Hoje e ontem."

Quando meu avô falava assim, meu pai tremia. Ele tinha medo da biblioteca do sótão, ele a considerava um lugar potencialmente subversivo. Mas devo dizer, a seu favor, que ele nunca me privou dela. Não que ficasse muito em casa. Estava sempre viajando em conferências, simpósios ou similares. Em dado momento, foi nomeado diretor da Academia de Ciências Sociais do Partido, seu nome foi parar na *Grande Enciclopédia Soviética*, a maior das honrarias, na época. No fundo, porém, ele sempre foi um homem prudente. Acho que seu principal objetivo era nunca ser acordado no meio da noite com agentes de segurança na porta de casa. O senhor não sabe quantos talentos foram sacrificados na Rússia, no altar da segurança.

– Essa me parece uma prova de bom senso.

– Sim, talvez. Meu pai tinha bom senso, claramente. Ainda que, pensando bem, esse bom senso me parecesse, mesmo à época, uma forma de ingenuidade catastrófica: a ideia de que é possível cumprir seu dever, a ideia de que um homem que entra na espiral dos deveres pode um dia sair dela, sem que ela aumente e acabe por soterrá-lo. Quem se desse ao trabalho de observar meu pai de perto veria que ele sempre parecia esmagado por um fardo que, no fundo, ele mesmo colocara sobre seus ombros. Meu avô o chamava de "a pequena Guarda Vermelha". Isso me fazia rir quando eu era criança, mas devo admitir que foi graças a meu pai, a seu trabalho e a sua prudência que pude me beneficiar de todos os privilégios que fundamentavam a vida soviética à época: lojas especiais com produtos importados, escolas onde se aprendia inglês, alemão e francês, assentos reservados no teatro – que era melhor não frequentar demais, para não ser visto como um artista ou um espírito livre.

Na época, o privilégio mais cobiçado de Moscou era a *kremliovka*, a cesta de mantimentos reservada aos membros e aos altos funcionários do Comitê Central do Partido. Todos os dias, o motorista de meu pai, Vitali, ia buscá-la no número 2 da Rua Granoskovo. Sempre que me era permitido, eu o acompanhava. O motorista parava na frente de um estabelecimento como outro qualquer, mas via-se que algo diferente acontecia lá dentro, pois na rua quase sempre havia outros carros oficiais, parados e com o motor ligado. Vitali e eu entrávamos no prédio e, depois de atravessar um longo corredor, chegávamos a uma porta envidraçada encimada por uma placa: "Gabinete dos Salvo-Condutos". Vitali batia e entrava sem esperar resposta. Lá dentro, atrás de um balcão, um funcionário vestido de cinza lhe sorria. Aquilo também era um privilégio inédito: na época, os funcionários nunca sorriam na União Soviética. Depois, ele perguntava a Vitali o que ele desejava naquele dia. E este se virava para mim e dizia: "Então, Vladenka, o que vamos comer hoje?". Eu podia escolher o que quisesse: pirojki de salmão e costeletas de cordeiro, caramelos Lenov e laranjas do Azerbaijão. Acho que nunca mais em minha vida tive aquela sensação de bem-estar e poder absoluto.

Baranov olhou em volta. Como se dissesse que toda aquela opulência, os painéis de madeira e o estuque do teto não significassem nada diante do cesto de pirojki que ele comia quando criança.

– No fundo, o problema é que tive uma infância feliz. E acho que isso me marcou. Nunca experimentei nenhum ressentimento, nem quis me vingar do mundo, grave deficiência para alguém que leva a vida que levo. Na Rússia, não é uma coisa normal. Aqui, todo mundo se lembra da vida de antes, dos sacrifícios. A elite russa está unida pelo fundo comum de misérias que cada um de seus membros precisou atravessar para chegar às mansões da Côte d'Azur e às garrafas de Petrus. Alguns as reivindicam, outros têm vergonha delas, mas quando eles se veem frente a frente, em seus ternos de trinta mil dólares, eles sabem que compartilham a mesma raiva e o mesmo estupor, um tanto infantil, diante do que as coisas se tornaram. Mesmo o Czar. Ainda que ele esteja convencido de seu próprio destino, da força inexorável que o conduziu ao lugar que ele ocupa, ele nem sempre consegue dissimular um movimento de incredulidade: eu, o garoto da *kommunalka* da Rua Baskov, hoje frequento o Buckingham Palace e a rainha da Inglaterra me serve o chá! Comigo, não foi assim. Em casa, criados de luvas brancas serviam bandejas de *pink gin*. Não tínhamos muito dinheiro, é verdade. Mas na época não precisávamos de muito.

– Ao contrário de hoje.

– Ao contrário de hoje, de fato. Ainda que isso seja uma meia verdade. Os estrangeiros pensam que os novos russos são obcecados por dinheiro. Não é verdade. Os russos brincam com o dinheiro. Eles o atiram para cima como confete. Ele chegou muito rápido e com muita abundância. Ontem ele não existia. Amanhã, quem sabe? Melhor gastá-lo agora mesmo. Para vocês, o dinheiro é essencial, a base de tudo. Aqui, garanto ao senhor, não é assim. O privilégio é a única coisa que conta na Rússia, a proximidade com o poder. Todo o resto é acessório. Era assim na época do czar e mais ainda nos anos de comunismo. O sistema soviético se baseava no status. O dinheiro não contava. Havia pouco dinheiro em circulação e, de todo modo, ele era inútil: ninguém pensaria em avaliar uma pessoa com base no dinheiro que ela possuía. Se em vez de ganhar uma datcha do Partido você a comprasse – era possível fazer isso, mesmo na época –, isso queria dizer que você não tinha certeza de ser importante o suficiente para ganhá-la. O que contava era o status, não o cash. Claro, era uma armadilha. O privilégio é o contrário da liberdade, uma forma de escravidão. Sabe o que é uma *vertushka*?

– Não.

– Um telefone. Durante o comunismo, era o objeto mais cobiçado. Porque não era um telefone como os outros. Era um aparelho especial que permitia a comunicação direta com todos os figurões do regime. Os números das vertushkas só tinham quatro dígitos. Quando instalavam uma em seu gabinete, queria dizer que você tinha chegado lá. Todos os anos, um catálogo de couro vermelho era impresso com os nomes dos felizes possuidores de um número. Cada titular discava os números diretamente e respondia pessoalmente ao que quer que fosse. Os mais poderosos tinham um aparelho em casa, na datcha e no carro. Os detentores de uma vertushka podiam se comunicar exclusivamente através dela. Utilizar um telefone normal seria visto como um sinal de falsa modéstia e de pouca consideração para com o privilégio recebido. Uma coisa de livre-pensador potencialmente subversivo.

Baranov se calou e esboçou um sorriso.

– Claro que todas as conversas eram interceptadas pela KGB, mas ninguém abriria mão de uma vertushka. É curioso como os cortesãos aspiram acima de tudo ao instrumento de sua submissão.

Entendi isso uma noite, por acaso. De tempos em tempos, meu pai, que tinha paixão pelo cinema, organizava uma projeção privada na Academia. Ele convidava alguns colegas, um ou dois funcionários do Comitê Central, no máximo uma dezena de pessoas. Era preciso tomar cuidado na escolha do filme, obviamente. Não se podia projetar qualquer coisa. Mas as regras da censura não se aplicavam a meu pai, que conseguia nos mostrar mais ou menos tudo o que lhe parecesse bom. Afinal, ele era o diretor da Academia e, se não fosse ele a estudar as manifestações de decadência burguesa do Ocidente, quem o faria? Seja como for, lembro-me de uma vez, eu devia ter doze ou treze anos, em que ele projetou *O absolutismo: A ascensão de Luís XIV*, de Rossellini. O senhor se lembra desse filme?"

Assenti, com o ar vagamente culpado de alguém que várias vezes se prometeu assisti-lo mas nunca o fez.

– O filme conta como o Rei Sol, ao construir Versalhes e obrigar os nobres a segui-lo na Corte, os prendeu numa gaiola cada vez mais estreita, cheia de cerimônias e pequenos privilégios que os privavam de suas liberdades, sem que eles percebessem, e mesmo, na maioria dos casos, das dignidades mais elementares. Na cena final, o rei se despe de todos os seus ornamentos, de seus objetos de luxo: as roupas suntuosas eram apenas artifícios, instrumentos que lhe permitiam afirmar seu poder, para que, como ele dizia a seu ministro, cada súdito do reino dependesse do monarca para todas as coisas, assim como a natureza dependia do sol para todas as coisas.

Naquela noite, quando as luzes da sala voltaram a se acender, tive a impressão de que havia um certo mal-estar entre os espectadores. Eles não eram homens estúpidos, muito pelo contrário. Tinham estudado e tinham se alçado ao topo da pirâmide graças a sacrifícios, esforços e intrigas. Daquela vez, porém, depois da projeção, eles se entreolharam de maneira estranha. Como se sentissem um incômodo cuja causa não soubessem explicar ao certo. Então eles se separaram, mais rapidamente que de costume, e voltaram para suas casas a bordo dos carros oficiais que o Partido colocava à sua disposição vinte e quatro horas por dia.

A elite soviética, no fundo, se parecia muito com a velha nobreza czarista. Um pouco menos elegante, um pouco menos instruída, mas com o mesmo desprezo aristocrático pelo dinheiro, a mesma distância sideral do povo, a mesma propensão à arrogância e à violência. Ninguém escapa ao próprio destino, e o do russo é ser governado pelos descendentes de Ivã, o Terrível. Podemos inventar tudo o que quisermos, a revolução proletária, o liberalismo desenfreado, o resultado será sempre o mesmo: no topo estarão os *oprichniks*, os cães de guarda do czar. Hoje temos ao menos um pouco de ordem, um mínimo de respeito. Já é alguma coisa, vamos ver quanto tempo isso vai durar.

Com um gesto brusco, o russo se levantou, como que tomado por uma inspiração, e se dirigiu para a escrivaninha.

– As vertushkas ainda existem, sabia? São as linhas terrestres protegidas pelo FSB. Quem quiser se comunicar com o Czar precisa ter uma. Aqui está, veja.

Baranov apontou para um aparelho antigo num canto da escrivaninha.

– Pensei que fosse vermelho!

– Não, é cinza, como todo o resto.

– Se considera Moscou cinza, deveria ir à Europa por alguns dias. Ou visitar Washington.

– Deus me livre! Lá eles não são cinzas, estão mortos.

Ele esboçou um sorriso cortante.

– Como o senhor sabe – ele continuou –, perdi a liberdade de visitar esses lugares...

– Eu sei, o senhor inclusive declarou que as únicas coisas dos Estados Unidos de que sente falta são Tupac Shakur, Allen Ginsberg e Jackson Pollock, e que para apreciá-los não precisa ir até lá...

– Às vezes dizemos besteiras.

– O que aconteceu a seu pai?

– Eu já lhe disse. Ele era um homem gentil, meticuloso, sempre envolvido com a organização de algum volume sobre "A dialética da época contemporânea" ou "Os problemas teóricos da linguística soviética". E por algum tempo tudo isso funcionou muito bem. Aos cinquenta anos, ele ganhou o prêmio Lênin, todas as bibliotecas da União tinham suas obras encadernadas, impressas em dezenas de milhares de exemplares. Então chegou Gorbatchov, com seu copo de leite!

– Copo de leite?

– Sim. Não era preciso ouvir Gorbatchov para entender que ele destruiria a União Soviética; bastava olhar para ele. Ele subia à tribuna e imediatamente levavam para ele um copo de leite. As pessoas não acreditavam no que viam. Até que ele dobrou o preço da vodca. Ele queria que todos bebessem leite. Na Rússia. O senhor se dá conta? Depois as pessoas se espantam que tudo tenha desandado.

Seja como for, aquele foi o fim de meu pai. Ele perdeu tudo: o trabalho, os privilégios, as honrarias. Tudo o que ele tinha conseguido construir em meio século. A única coisa que lhe deixaram foi o apartamento, abarrotado de livros ilegíveis de crítica marxista. Mas também isso ele foi obrigado a vender, no fim.

O pior é que todos os critérios sobre os quais ele baseara sua vida ruíam. Na época, eu estava no liceu, mas não queria muito estudar. Eu dava um jeito de conseguir pequenos bicos. Conseguia televisores, gravadores, e os revendia. Coisas do tipo. Em pouco tempo, passei a ganhar mais do que ele. As pessoas me procuravam, e não a ele. Eu era um garoto de dezesseis anos que não sabia nada, mas era exatamente por isso que eu estava mais adaptado ao novo mundo do que ele, que sabia tudo.

Em dado momento, ele parou de sair de casa. De vez em quando, algum espectro da época soviética vinha visitá-lo. Mas eles mesmos tinham vergonha de suas lembranças. Então ficavam parados, em silêncio, como as ruínas de um templo abandonado.

Quando ele adoeceu, foi quase um alívio. "Finalmente tenho um bom motivo para ficar na cama", dizia. Ele se mantinha tranquilo, fumava seu cachimbo e relia os clássicos: Gogol, Puchkin, Tolstói.

Nessa época, ele ficou quase alegre, como se estivesse livre de um peso. Pode parecer paradoxal, mas a doença não necessariamente é uma coisa pesada. O peso, o esforço e o trabalho são prerrogativas das pessoas em boa saúde; os que estão morrendo não precisam se preocupar com eles, finalmente podem aproveitar seus dias. Foi o que aconteceu com meu pai, ao menos. Suas ambições adormeceram, como as crianças quando cansam de brincar. Ele tinha tempo para passear ao longo do Lago do Patriarca, aquecer-se ao sol, ler um livro. Não um dos que utilizava em suas conferências, longe disso, um belo livro completamente inútil. No fim, ele teve uma crise e precisou ser hospitalizado na clínica do Kremlin. Mais um privilégio, mas os tempos tinham mudado. A celebridade entre os doentes, que recebia todas as atenções, não era ele, sombra miserável dos tempos passados, mas uma grande matrona vulgar, com sotaque de Saratov, que passava os dias falando de suas férias na Sardenha, dos shoppings de Londres, das noites de Monte Carlo. Os outros pacientes, as enfermeiras e até mesmo os médicos ficavam hipnotizados. Eles sorriam aparvalhados diante das descrições de jatinhos particulares e piscinas de água salgada. As joias que pendiam do pescoço grosso da megera e de suas orelhas, o relógio Cartier e as modernas bugigangas eletrônicas que ela exibia com negligência atestavam a veracidade de suas histórias. Meu pai não se abalava. Pela primeira vez, parecia completamente indiferente ao julgamento dos outros. Era como se a proximidade da morte lhe desse uma sensação de controle sobre sua própria vida, controle que ele nunca tivera antes. Os médicos e as enfermeiras continuavam garantindo que não, ele não estava morrendo, e que em poucas semanas voltaria à vida normal. Mas ele sabia que não era verdade e tirava disso um orgulho singular. "Eles têm vergonha, querem esconder a verdade de mim. Mas eu sei que vou morrer e, posso dizer uma coisa?, estou pronto, mais do que jamais pensei."

Chegando ao fim da vida, era como se ele se aprumasse pela primeira vez, fazendo prova de uma coragem de que nem ele mesmo se suspeitava capaz. Foi nessa época que tivemos as únicas e verdadeiras conversas de nossas vidas. Eu me sentava à sua direita, numa das horríveis cadeiras de plástico do hospital, e passávamos tardes inteiras conversando sobre história e filosofia, falando de coisas sem importância, comentando nosso passado e os velhos livros franceses de meu avô, como se estivéssemos no campo, esparramados nas poltronas de couro da isbá, com o cheiro dos troncos de bétula pairando no ar. Ele falava num tom que eu jamais ouvira em sua boca, cáustico, mordaz, talvez um pouco desencantado. Tornara-se brilhante, demonstrava o mesmo tipo de ironia de meu avô. Eu não conseguia entender como ele o ocultara por tanto tempo. Sua carreira de burocrata do conhecimento adquiria de repente uma dimensão trágica e absurda.

Até que ele morreu. Não posso dizer que o enterro foi grande coisa. Quatro pobres coitados seguiram o caixão dentro de um carro amassado, ultrapassado a toda velocidade pelos Mercedes dos novos ricos.

Sabe o que pensei, na hora? Que, no fundo, meu pai tinha vivido toda a sua vida pensando em ter um belo funeral. Com honrarias, respeito, saudação militar, coroa de flores do secretário-geral do Partido, desfile de dignatários, necrológio no *Pravda*. Ele não teve nada disso. Mas mesmo que tivesse tido, o que teria mudado? O senhor não faz ideia de quanta gente vive assim. Pensando em ter um belo enterro. Alguns conseguem, outros não. Mas qual a diferença?

Não é o que eu quero. Nunca quis e continuo não querendo. Acho que foi por isso que, depois da morte de meu pai, segui o caminho oposto ao que ele tinha traçado para mim.

5

Quando somos jovens, não nos contentamos em fazer as coisas, também queremos justificá-las. Meu pai queria que eu me tornasse diplomata. Ele me via nos salões de Viena ou Paris, falando de literatura russa com algum velho embaixador. O que eu queria, em contrapartida, era me livrar de uma vez por todas do mundo das intenções, dos deveres e dos projetos. Por isso me inscrevi na academia de arte dramática de Moscou e comecei a levar a desordenada vida teatral.

No início dos anos 1990, Moscou era uma cidade intensa. Tínhamos acabado de fazer vinte anos e um novo mundo se abria para nós, no exato momento em que finalmente tínhamos forças para conquistá-lo. As ruas de Moscou, os enormes edifícios de Stálin, as calçadas enlameadas e os grandes lustres do metrô continuavam os mesmos, mas tudo parecia subitamente envolto por uma bolha de energia. Vivíamos tão excitados que nunca dormíamos mais que três ou quatro horas por noite. Ainda lembro das aulas na academia. Pela primeira vez, além de assistir a produções ocidentais, também podíamos conhecer atores, diretores e conversar com eles até o amanhecer...

Estávamos convencidos de que chegara nossa vez de refundar a sociedade sobre novas bases, prisioneiros que éramos da velha ideia russa segundo a qual a arte não é apenas cultura mas construção, profecia, verdade. Vínhamos de um mundo feito de palavras caladas ou murmuradas, no qual as raras pessoas que tinham coragem de pronunciá-las abertamente eram os loucos ou os heróis. Ainda não estávamos acostumados com a ideia de que elas não valiam nada, que somente as ações contavam. Naqueles anos, os jornais que cobriam as artes e a literatura vendiam milhões de exemplares. As pessoas não conseguiam acreditar que finalmente podiam ler todas aquelas palavras livres, sem filtros. Elas nunca se saciavam. Imagine em que estado ficávamos, nós que vivíamos o mito da arte redentora. Na época, eu ainda fingia acreditar nele. O senhor sabe como são os jovens, eles levam tudo terrivelmente a sério, é a maldição da idade.

Além disso, havia Ksenia. Conheci-a numa festa, numa daquelas noites em que, a partir de certo momento, metade dos convidados começava a brigar, enquanto a outra metade transava no banheiro. No meio de tudo isso, uma garota sublime se mantinha tão tranquila quanto se estivesse jogando uma partida de gamão na praça central de um ilha grega.

Aproximei-me com uma desculpa qualquer e comecei a contar uma anedota que na hora me pareceu espirituosa. Ela me dirigiu um sorriso gelado, genuinamente cruel: "Que história fascinante! Tem outras do tipo para contar?".

Observando-a de perto, o que desconcertava era o fato de ela não ter nenhum defeito, nenhum sinal que perturbasse a simetria perfeita de seus traços, apenas a expressão de seus olhos, que emitiam uma luz quase violeta.

"Não, essa foi a melhor!"

Seu sorriso se tornou imperceptivelmente mais suave. Não sei como, eu tinha conseguido estabelecer contato com o planeta Ksenia.

Seus pais eram hippies. A Rússia também tinha hippies, sabe. Sua mãe vinha da Estônia, onde se assistia à televisão finlandesa, a moda chegava mais rápido. Ela conheceu um músico num show, perto de Smolensk; eles gostaram um do outro e conceberam Ksenia. Uma filha do amor, eles diziam. Depois, cada um seguiu seu próprio caminho. Ksenia cresceu seguindo a mãe de cidade em cidade, pedindo carona, de acampamento em acampamento, de escola em escola até escola nenhuma, sempre sob os olhares desaprovadores dos demais, inimigas do senso comum. Os únicos momentos de estabilidade eram aqueles em que sua mãe a deixava na casa dos avós para ter mais liberdade de seguir seus caprichos. Essa educação descontínua produziu em Ksenia um alto grau de indiferença, um estilo nômade e uma indiferença por qualquer tipo de transgressão. Na vida cotidiana, ela dava a impressão de patinar no gelo, do qual de tempos em tempos extraía uma centelha inacessível aos simples mortais. Como ela só relaxava no excesso, as situações mais banais tinham o poder de tirá-la do sério. Muito inteligente, mas preguiçosa demais para seguir um processo lógico e, em geral, distraída, acontecia-lhe de penetrar, graças a uma intuição fulminante, o cerne de um problema que desconcertava seus interlocutores. Em outros momentos, ela se perdia em cálculos que uma criança de quatro anos resolveria sem hesitar. Ela tinha a capacidade de ler nos olhos de qualquer pessoa tudo o que esta vivera, mas era tão autocentrada que esquecia tudo rapidamente, como se nunca tivesse visto nada. Recusando-se a considerar a vida em termos de carreiras ou projetos, ela dizia que falar do futuro tornava os homens automaticamente maçantes. Seu ideal de vida consistia em passar a tarde num divã, lendo e dormindo. Mas ela às vezes explodia num turbilhão de atividades absurdas: organizava festas colossais ou expedições à floresta, montava peças de teatro ou aprendia a falar japonês. Ela conseguia fazer qualquer coisa porque tinha certos dons, mas nunca os utilizava por muito tempo.

Eu pensava, às vezes, que mesmo que eu vivesse mil anos, nunca mais encontraria alguém como ela. Mas não posso dizer que ela tornasse minha vida mais fácil. Depois de cada separação, mesmo breve, precisávamos recomeçar tudo desde o início. Ksenia espreitava qualquer sinal de fraqueza – um olhar para baixo, uma gota de suor na testa, uma imperceptível hesitação na voz – como uma tigresa pronta para me devorar à menor manifestação de inferioridade. Seus olhos ainda sorriam, mas seus lábios já tremiam de raiva. E seus olhos mudavam de cor. De cinza que eram, tornavam-se cada vez mais claros, até ficarem quase brancos. Era o sinal de que uma tempestade desabaria sobre mim. Melhor passar convulsivamente em revista os acontecimentos das últimas horas em busca de uma causa possível. Eu quase nunca a encontrava, porque a crise podia ser provocada por qualquer coisa, uma impressão passageira, uma lembrança de algo que acontecera meses antes, um momento de tédio.

A cena era sempre a mesma: de olhos apertados, Ksenia proferia insultos selvagens, derramando sobre mim a raiva impotente que ela acumulava desde que nascera. Minha reação lhe era indiferente. Se eu mantivesse a calma, o fluxo de insultos continuava e aumentava, nutrindo-se de minha passividade como derradeira prova de pusilanimidade. Se eu reagisse, tentasse responder ou saísse do sério, o resultado era o mesmo e Ksenia utilizava minhas respostas para novas invectivas. Depois, como uma chuva, a raiva cessava e Ksenia esquecia tudo o que dissera. Ela me via contrariado e perguntava o motivo. Às vezes, recompensava-me com um abraço. Ela precisava ser consolada; uma criança com medo de que nada, nunca, pudesse reconfortá-la.

A força do terror que Ksenia criava vinha de seu lado imprevisível. Como os grandes ditadores da história, Ksenia sabia instintivamente que nada inspira mais medo que uma punição aleatória. A punição que chega inesperadamente, sem motivo aparente, é a única capaz de manter em estado de alerta constante. A pessoa que sabe que basta seguir um certo número de regras para se sentir tranquila acaba desenvolvendo uma sensação de segurança que pode se tornar perigosa, levando-a à rebelião. Em contrapartida, aquela que é mantida em permanente estado de incerteza está sujeita ao pânico a qualquer momento. A ideia de revolta não lhe ocorre. Ela está atarefada demais antecipando as iras que podem cair sobre ela sem o menor aviso.

Esse era o tipo de poder que Ksenia exercia sobre mim. Grande fera frívola e impiedosa, ela, no entanto, estava completamente privada de defesas. Torturada pelo ciúme, estava sempre pronta para me desmascarar: você não é o que diz, você também é mesquinho, um traidor como os outros. O curioso é que as coisas acabaram evoluindo de maneira completamente diferente.

6

Com o passar do tempo, Ksenia e eu acabamos nos fechando numa bolha; do nosso ponto de vista, a única função do mundo externo era aumentar nosso isolamento. Lá fora, porém, havia uma cidade transbordando de possibilidades. Todos os dias, ou quase, algum ex-colega vinha me ver com uma ideia para algum negócio. E embora a maior parte dessas iniciativas fossem absurdas, elas davam certo. Assim, antes mesmo de eu me dar conta, eu via alguém trocar uma sapataria por um Falcon personalizado para levar a família para esquiar nos Alpes. Um dia, alguém vinha me visitar na bicicleta do avô e no dia seguinte eu o via chegando num Bentley blindado, cercado de guarda-costas.

Foi mais ou menos o que aconteceu com um sujeito com o qual eu cruzava de tempos em tempos, quando saía de minha reserva para encontrar alguns velhos amigos do liceu reencarnados em homens de negócios. Mikhail tinha sido líder da Juventude Comunista na faculdade de engenharia. Nada a ver com um apparatchik do Partido. Na última fase, o Komsomol atraía os rapazes mais cínicos e ambiciosos, aqueles que estavam dispostos a tudo e aqueles que queriam dinheiro. No fim dos anos 1980, o único tipo de empresa autorizada na União Soviética era a cooperativa de estudantes, e essa foi a *business school* do capitalismo russo. Foi onde se formaram quase todos os oligarcas.

Mikhail pertencia a essa casta temerária. Embora ele tivesse me explicado várias vezes, nunca entendi exatamente o que ele fazia. Ele aperfeiçoara um esquema de pagamentos entre empresas estatais. Resumindo, mas não sei dizer como, ele se infiltrava nessas trocas e as fluidificava, tomando dinheiro emprestado de uns e adiantando-o a outros. Uma espécie de banco, alguns anos antes de os verdadeiros bancos serem autorizados.

Obviamente, a atividade de Mikhail era bastante diferente da de um contador suíço. Com os capitais de que dispunha, ele investia em todo tipo de tráfico. Importava computadores, produzia lembrancinhas para turistas, abria fábricas de jeans desbotados. Ele me contou que uma vez tinha recebido um carregamento de garrafas de conhaque. A cinquenta dólares a garrafa, não conseguia vendê-las. Então decidiu fixar o preço unitário em quinhentos dólares e as pessoas se acotovelaram para comprá-las.

Moscou era assim naqueles anos. E Mikhail estava em seu elemento. Em pouco tempo, passou dos paletós sem forma das lojas soviéticas a ternos Hugo Boss roxo-escuro, depois a trajes sob medida da Savile Row, e seu rosto de bom rapaz de óculos começou a aparecer nas páginas das novas revistas dedicadas à ávida elite da capital.

Nós nos víamos de tempos em tempos no bar do Radisson, o único hotel de luxo da época. Eu ouvia suas aventuras, com a vaga ideia de poder utilizá-las em algum ponto da peça de teatro que eu queria escrever sobre pessoas como ele. Uma noite Ksenia foi me buscar, para irmos não lembro aonde. Pela primeira vez, ela viu Mikhail. Depois das apresentações, encarou-o em silêncio por alguns segundos: seu jeito satisfeito, seus olhos perspicazes atrás de óculos de titânio, seu terno com colete, que contrastava imensamente com meu blusão desleixado.

"De onde tirou essa gravata horrível?", ela lhe perguntou, à queima-roupa.

Eu devia ter entendido, desde aquela primeira frase, que meu destino estava selado. Que Ksenia escolheria Mikhail, sua vulgaridade e sua energia, seus relógios caros e seus sapatos ingleses. Ele percebeu isso na mesma hora. Respondeu-lhe com um sorriso sarcástico e o nome de uma loja de Nápoles, acho. Vou levá-la para conhecê-la quando você for minha, prometiam seus olhos.

E eu vi tudo. Vi tudo imediatamente. Mas me recusei a acreditar, por tempo demais. Ksenia era minha deusa, caprichosa e vingativa, eu vivia aterrorizado com suas mudanças de humor e nunca teria imaginado que uma bolsa de couro de crocodilo e uma suíte no hotel Crillon pudessem garantir sua boa vontade. Todos os dias, eu depositava a seus pés as pérolas extraídas de minhas dolorosas elucubrações poéticas, sem perceber que um bracelete de diamantes teria produzido efeitos muito mais duradouros. É estranho constatar como nosso cérebro às vezes se esforça para nos esconder a verdade. Temos todos os indícios diante dos olhos, mas nossa mente se recusa a juntar as peças. Depois daquele primeiro encontro, Mikhail começou a frequentar nossa casa assiduamente. Ele aparecia sozinho ou acompanhado de jovens selecionadas nos quatro cantos do império pela luminosidade de suas peles e pela geometria de seus traços. Entrávamos em seu Bentley, ou em seu

Jaguar, ou num Mercedes enorme, e ele nos levava para o melhor restaurante georgiano da cidade. Ou ele chegava a nossa casa com dois garçons, que colocavam ostras e caviar sobre a mesa de nosso pequeno apartamento suburbano. Um dia ele apareceu com um sushiman importado diretamente do Japão que passou a noite cortando pedaços de atum e seriola na minúscula bancada de nossa cozinha de três metros quadrados.

Mikhail depositava todas essas maravilhas a nossos pés, com o semblante vagamente culpado do mercador que acende uma vela na igreja. Eu pensava que era por alguma antiga deferência pela arte a que Ksenia e eu tínhamos decidido dedicar nossas vidas... Como se a cultura, naqueles anos, ainda tivesse a capacidade de exercer algum tipo de ascendência sobre o mundo real. Obviamente, eu me enganava, e Mikhail entendera isso havia muito tempo. Ele fingia admirar nossas miseráveis pérolas de barro, mais ou menos como se faz com desenhos de criança. E eu, cego, não via a condescendência que se ocultava por trás daquela lenga-lenga. Como sempre, Ksenia percebia tudo, e sofria com isso. Ela já começara a suspeitar que a cultura se transformava em ornamento barato, uma bugiganga que os donos do mundo compravam sem pensar. A chegada de Mikhail e sua atitude lhe confirmavam isso. Num primeiro momento, aquilo a irritou. Ela sentira muito antes de mim a ameaça existencial que Mikhail representava. Não apenas para nosso relacionamento, mas para nosso mundo. Todas aquelas pequenas e pobres coisas, aqueles arabescos feitos com cuidado, estavam destinados a ser varridos pelos sonhos e pelas aspirações de milhões de homens e mulheres sem rosto na correnteza da nova Rússia. Éramos como marajás, apegados a um luxo oriental feito de elefantes domesticados e batas bordadas, xaropes de cereja e sorvetes de pétalas de rosa, mas já despontavam no horizonte navios abarrotados de carros de corrida e jatos particulares, férias em heli-esqui e hotéis cinco estrelas. Nós, com nossas leituras americanas e nossos contatos berlinenses, nos sentíamos na vanguarda do movimento, embora fôssemos apenas os últimos epígonos da estrela morta de nossos pais, que tanto desprezáramos por sua covardia, mas que tinham nos transmitido a paixão pelos livros, pelas ideias e pelas intermináveis discussões sobre uns e outros. Mikhail tinha perfeita consciência disso. Ele habitava com naturalidade o mundo luminoso e linear do dinheiro, conhecia seu poder de fogo e nada jamais poderia fazê-lo voltar atrás. Mas ele queria Ksenia. E para isso aceitava demorar-se na nossa companhia, nas ruínas da cidade dos mortos.

Com o passar dos meses, Ksenia se tornou cada vez mais sensível aos tributos de Mikhail. Ela não me falava abertamente sobre isso. Mas eu a sentia mais nervosa que de costume. Meus defeitos e minha timidez, que ela no início atribuíra a uma forma de romantismo antiquado, se transformaram a seus olhos em grilhões que limitavam seu crescimento, aprisionando-a num mundo acanhado, embora ela desejasse aproveitar até o fim as possibilidades oferecidas pela nova era. Mikhail aparecia quase todos os dias com novos presentes e novas propostas. E embora ele se esforçasse em manter a atitude de respeitosa humildade com que se insinuara em nossas vidas, eu não podia deixar de notar que seus modos estavam mais seguros. As leituras, os concertos e as conversas noturnas que tinham marcado a primeira fase de nossa relação tinham praticamente desaparecido, dando lugar a atividades de densidade monetária mais elevada, que eu tinha dificuldade de acompanhar de maneira aceitável. As inaugurações de galerias e discotecas, os jantares no White Sun ou no Ermitazh e as tardes de compras se sucediam num ritmo intenso, e meu verdadeiro problema começou a se tornar o tédio implacável que todas aquelas piruetas me infligiam.

Paralelamente, Ksenia ficava cada vez mais enfeitiçada pelo estilo de vida de Mikhail, a ponto de se tornar difícil recusar o encontro mais insignificante com ele. Todas as minhas tentativas de diminuir o ritmo das saídas provocavam observações sarcásticas e brigas furibundas. "Vádia nunca gostou de sair", dizia Ksenia, com uma careta de desgosto, "a única coisa de que gosta é voltar para casa."

Nisso ela tinha razão, é verdade, o problema era que Ksenia não era nem pura o bastante nem suficientemente corrompida para me entender.

Lembro-me de ter acordado certa noite e de ter olhado por um bom tempo para ela, deitada a meu lado, e ter tido a impressão de que ela já estava longe. Num lugar do qual ela só voltaria para me dirigir alguma palavra de desprezo. Eu teria gostado tanto de trazê-la de volta para mim. Sou eu, você não está vendo? Mas o que eu tinha a oferecer à deusa vingadora que descansava a meu lado e que, com sua respiração regular, recuperava as energias para o confronto do dia seguinte? Eu passava escrevendo, como se tomasse notas para uma prova que nunca aconteceria. Eu me sentia muito cansado, mas ainda não fizera nada. Eu tinha tantas ideias que qualquer ação me parecia irrisória. Minha imaginação me levava todos os dias para quinze vidas diferentes, mas nada do que eu fazia numa delas era útil na outra. Então, o único ponto de repouso digno de minhas ambições era o sofá de veludo verde de nosso apartamento. Em certos momentos, eu alimentava a ilusão de que Ksenia percebia minha grandeza. No entanto, dia após dia, eu via crescer dentro dela um sentimento que primeiro se manifestou em ironia, mas que depois se transformou em desprezo.

Eu me sentia como num dia de outono de minha infância, no campo, quando o nevoeiro era tão espesso que me impedia de ver minha própria mão à frente de meu rosto. "Vá procurar o sol", dizia meu avô. Eu saía e caminhava pelo bosque, subindo a colina acima do vale. Quanto mais eu avançava, mais o ar se tornava luminoso, até que, milagrosamente, o sol abria aquele véu branco e revelava um mundo onde as árvores e os arbustos cobertos de geada cintilavam milhares de diamantes. Eu colhia alguns galhos ornados de joias para levá-los comigo, mas o gelo derretia no caminho e, de volta em casa, a única coisa que me restava na mão era um insignificante buquê de galhinhos escuros. Não tenho nada a provar, eu pensava comigo mesmo. Mas era mentira. Eu fugia. E Ksenia percebia. Minha aspiração à paz era sincera, mas eu ainda não a merecera. Longe disso.

Ksenia abriu os olhos cinzentos e fixou-os em mim. Sem a menor surpresa, como se fosse natural me ver ali, contemplando seu sono como um abutre ao amanhecer. Mas também sem qualquer ternura. Você é mais forte que eu porque não me ama, pensei à época. Meu sofrimento só aumentava seu tédio.

Numa manhã de sábado, estávamos fora de Moscou. Mikhail organizara uma visita a uma velha datcha que ele pretendia comprar. Ele estava com sua última conquista, acho que ela se chamava Marylène. Era francesa e trabalhava para um importante fundo de investimento. Era do tipo *mignon*, menos resplandecente que as belezas circassianas que geralmente acompanhavam Mikhail. A relação parecia mais séria que as anteriores. Ela, em todo caso, parecia convencida disso.

O problema era que Marylène não estava acostumada com as estradas da província russa. Nem com a direção cossaca de Mikhail. Depois de meia hora de acrobacias nas pistas de terra da região de Vladimir, ela ficou enjoada. Apesar dos protestos de Mikhail, ela o obrigou a parar, ameaçando voltar para Moscou de carona se ele não passasse a direção do Porsche para mim. Tentei resistir, mas não consegui, fui obrigado a pegar o volante, com uma prostrada Marylène a meu lado, enquanto Mikhail e Ksenia se instalavam no banco de trás.

Não estando acostumado a dirigir um bólide de cem mil dólares por estradas pedregosas, fiquei um pouco nervoso, odiando-me por ter me metido, pela enésima vez, numa situação da qual sairia perdendo, comparado ao brilho de Mikhail. Ele zombava de mim: "Então, Vádia, mostre-nos do que é capaz. Aposto que em cinco minutos Marylène suplicará que eu volte ao volante.

– Pare, Mikhail – Ksenia fazia de conta que me defendia. – Vádia dirige muito bem. Você deveria vê-lo no trator do avô.

– Na carroça do avô, você quer dizer."

Eles se divertiam no banco de trás. Enquanto isso, o Porsche avançava mais ou menos na direção que eu escolhia, sem muita convicção. Havia algo na caixa de câmbio que eu não conseguia entender direito, então adotei a estratégia de permanecer na quarta marcha. Em dado momento, decidi levantar o retrovisor. Enquanto eu o ajustava com gestos incertos, tive um vislumbre do banco de trás. A mão de Mikhail estava sobre o joelho de Ksenia. E nele se mantinha, parada, como um grande caranguejo das neves.

Tive uma sensação estranha. Eu não saberia explicá-la. Senti um choque e a confirmação de algo que já sabia. Uma sensação quase satisfatória, em certo sentido. De todo modo, não deixei nada transparecer. Continuei dirigindo e fiz como se nada tivesse acontecido pelo resto do dia. Quando voltamos para casa, eu disse a Ksenia que ia embora. Ela tentou fazer uma cena. Se bem me lembro, quebrou um ou dois copos. Mas no fundo estava aliviada, como eu, ainda que por razões diferentes.

7

Mudei-me para um pequeno quarto no último andar de um edifício popular que um amigo arquiteto transformara numa espécie de cápsula branca suspensa acima do turbulento lamaçal de Moscou. Preparei-me para sofrer bastante. Mas me senti leve e forte de novo. Ao que tudo indicava, um coração partido me fazia sofrer menos que o previsto. Como alguém disse, não existe uma única mulher que seja mais preciosa que a verdade que ela nos revela ao nos fazer sofrer.

O teatro, agora eu sabia com certeza, não poderia satisfazer a ambição que o abandono de Ksenia despertara em mim. Eu já não suportava a tristeza mortífera do homem de letras, incapaz de produzir qualquer alegria, sua inaptidão diante da realidade contemporânea, a profunda mágoa que o acompanha aonde quer que ele vá, o luto pela perda de sua cultura e a tentativa patética de salvaguardar seus últimos bibelôs. Sem falar da "vida cultural", das academias, dos prêmios, de todas as minúsculas intrigas forjadas por artistas medíocres para cultivar a ilusão de poder sobreviver apesar da falta de talento.

Eu queria fazer parte de minha época, não ser seu comentarista. E quanto mais eu me afastava das estantes da biblioteca, mais amadurecia em mim a convicção de estar à altura de qualquer destino. Eu estava em busca do momento sobre o qual concentrar toda minha vida, só isso.

Pela primeira vez, entreguei-me à estranha eletricidade que percorria a cidade naquela época. Conheci um vizinho, Maksim, um publicitário com cara de Groucho Marx, sempre elegante em ternos italianos e cercado por mulheres esplêndidas. "Minha feiura me faz perder uma semana", ele dizia, "no máximo dez dias". Ele aperfeiçoara uma técnica de pequenas atenções contínuas que pegava completamente de surpresa suas vítimas, acostumadas a aproximações muito mais diretas. E ele tinha senso de humor, principalmente consigo mesmo; a autoironia é outro dom muito pouco comum em nosso meio.

O resultado era que, depois de certo tempo, as presas de Maksim não apenas cediam a suas investidas como acabavam se apaixonando por ele. Superada a barreira física, elas se tornavam dependentes de sua imaginação, de sua inteligência e de sua delicadeza. Elas intuíam que sob a delicadeza de seus modos se escondia um caráter forte, muito mais inacessível do que parecia. Os papéis acabavam se invertendo e aquelas que eram cortejadas passavam a suspirar por ele, cobrindo Maksim de atenções e tentando a todo custo penetrar o segredo de sua doce indiferença. Ele, para falar a verdade, não tirava proveito disso. Quando os papéis se invertiam, ele conservava uma atitude generosa em relação às guerreiras vencidas que tinham deposto as armas a seus pés. Mas aquele era o sinal que ele esperava para se lançar a uma nova conquista, o que inevitavelmente produzia uma série de explosões mais ou menos devastadoras. De minha parte, eu me beneficiava do incessante turbilhão feminino que o cercava. Depois do fracasso Ksenia, eu precisava espairecer, e é preciso admitir que, nesse ponto, a Moscou de meados dos anos 1990 era o lugar certo para isso. Você podia sair de casa à tarde para comprar cigarros, encontrar por acaso um amigo extremamente empolgado com alguma coisa e acordar dois dias depois num chalé em Courchevel, seminu, cercado de beldades adormecidas, sem ter a menor ideia de como chegara ali. Ou você ia a uma festa particular num clube de strip-tease, começava a conversar com um desconhecido com vodca até os ouvidos e, no dia seguinte, se via à frente de uma campanha publicitária de vários milhões de rublos.

O imprevisto sempre foi uma das grandes qualidades da vida russa, que na época chegou ao paroxismo. Imagine todos aqueles homens e aquelas mulheres, jovens, cheios de vida, quase sempre brilhantes, às vezes geniais, que pensavam estar condenados a uma vida monótona mas que, subitamente, viam abrir diante deles os caminhos do mundo. Eles podiam se tornar o que quisessem, fazer dinheiro, cruzar o planeta, ir para a cama com modelos. Coisas que eles nem suspeitavam existir havia poucos anos. O suficiente para perder a cabeça. Muitos a perderam, aliás, literalmente. O nível de violência era incrível na cidade. Como se distribuíssem aos alunos de maternal, junto com os uniformes, um arsenal de fuzis semiautomáticos. Ouvíamos tiros por toda parte, e pelos motivos mais fúteis. Víamos milícias privadas, pequenos exércitos que escoltavam homens insignificantes, e às vezes descobríamos que um deles fora atingido. Por uma bomba, uma rajada de AK-47. Tudo contribuía para alimentar a bolha radioativa de Moscou. As aspirações represadas de todo um país, mergulhado havia décadas no caduco torpor comunista, convergiam aqui. E no centro não estava a cultura, como acreditavam os intelectuais convencidos de serem os herdeiros do cetro, mas que no fundo não tinham herdado absolutamente nada. No centro, estava a televisão. O coração nevrálgico do novo mundo que, com seu peso mágico, dobrava o tempo e projetava sobre tudo o reflexo fosforescente do desejo.

Converter minha experiência teatral numa carreira de produtor de televisão foi como passar da carroça a vapor para o Lamborghini. Num dia eu estava sentado à mesa de uma cozinha, dissertando sobre Maiakovski e sorvendo um chá fervente em meio à fumaça de cigarros sem filtro, e no outro eu bebericava capuccinos num *open-space* concebido por arquitetos holandeses, compilando apresentações de PowerPoint e pensando em minhas futuras férias em Marrakech. Nos estúdios da ORT, a primeira emissora de televisão russa, recentemente privatizada, não produzíamos apenas alguns programas, testávamos formas de vida que mais tarde seriam adotadas por todos os novos russos. Passávamos os dias exclamando "*Oh my god!*" e "*Whatever*", depois discutíamos as virtudes comparadas do Sassicaia e do Château-Margaux num bar de vinhos da moda. As mulheres se davam ares de *Sex and the City* e todos os homens eram Johnny Depp. A proverbial capacidade mimética dos russos era colocada a serviço de tudo o que podia ser considerado *cool*, propagando um *buzz*, gerando um *hype*. O efeito geral era visivelmente ridículo. No entanto, fomos nós que, naquela fase, reconstruímos o imaginário coletivo do país. Com o desmoronamento de todas as outras instituições, cabia à televisão indicar o caminho. Transformamos os escombros do velho sistema, os conjuntos habitacionais dos subúrbios e as torres dos arranha-céus de Stálin em bastidores para nossos reality shows. Depois selecionamos os tipos mais característicos da população russa, o pai de família alcoólatra, a babushka do campo, a biscatinha ambiciosa, o estudante niilista, e indicamos a cada um o melhor caminho para entrar no novo mundo e fazer parte dele.

Regra número um: não ser chato. Todo o resto era secundário. As personalidades soviéticas tinham tentado asfixiar o país sob uma camada de tédio impenetrável. Agora podíamos nos permitir tudo, menos a monotonia. Por isso, quase todos os dias paríamos uma ideia nova, um pouco mais absurda que a anterior: um reality show sobre dois grupos de gângsteres lutando pelo controle de uma cidadezinha do interior? Por que não? Um documentário sobre as escolas que ensinam jovens mulheres a conquistar novos ricos? Nada mau! E sobre o astrólogo que prevê o curso da bolsa? E sobre a decoradora especializada no estilo Maria Antonieta? Ela também tem um programa!

Fazíamos uma televisão bárbara e vulgar, como ditava a natureza dessa mídia. Os americanos não tinham mais nada a nos ensinar, na verdade éramos nós que ampliávamos as fronteiras do *trash*. De tempos em tempos, porém, a imemorial alma russa emergia das profundezas. Em certo momento, tivemos a ideia de um grande show patriótico. Pedimos a nosso público que nos indicasse seus heróis, os personagens que fundamentavam o orgulho da mãe Rússia. Esperávamos grandes nomes como Tolstói, Puchkin e Andrei Rublev, ou quem sabe um cantor, um ator, como acontecia no país de vocês. Mas o que nos deram os espectadores, a massa informe do povo acostumada a se curvar e baixar os olhos? Nomes de ditadores. Seus heróis, os fundadores da pátria, coincidiam com uma lista de autocratas sanguinários: Ivã, o Terrível, Pedro, o Grande, Lênin, Stálin. Fomos obrigados a falsear os resultados para fazer Alexandre Nevski ganhar – um guerreiro, ao menos, não um exterminador. Mas quem obteve mais votos foi Stálin. Stálin, o senhor se dá conta? Foi nesse momento que entendi que a Rússia nunca se tornaria um país como os outros. Não que houvesse alguma dúvida sobre isso.

8

Na época, o proprietário da ORT era um bilionário chamado Boris Berezovsky. À primeira vista, ele não parecia um oligarca com especial credibilidade. Nada em sua figura inspirava autoridade ou respeito. Ele era baixinho, gordo, míope, estava constantemente agitado por alguma ideia ou ocupado rindo e fazendo rir. Todo mundo conhecia seu poder, mas ele sentia a constante necessidade de sublinhá-lo. Ele adorava ser interrompido durante as refeições por um telefonema. "É Tatiana", ele dizia, com os olhos brilhantes, "a filha do presidente." Ou então: "Ah! É Anatoli", referindo-se ao vice-primeiro-ministro. Ele não conseguia participar de uma conversa por mais de quatro minutos sem começar a narrar seus mirabolantes feitos: a vez em que foi à Tchetchênia e libertou os reféns, deixando seu relógio de pulso de oitenta mil dólares como garantia; a vez em que, depois de assumir o controle da Aeroflot, desenhou na toalha de um restaurante os novos uniformes das aeromoças.

Ele comprara um velho palacete na Novokuznetskaya, um comprido imóvel branco, baixo, adjacente à igreja São Clemente. A princípio, deveria ter sido a sede de sua companhia, mas Berezovsky o transformara em algo muito mais especial, uma espécie de clube, a casa Logovaz, como ele a chamava, aberta aos parceiros de negócios e a todas as pessoas que, por um motivo ou outro, ele tinha vontade de frequentar. Era possível passar por lá a qualquer hora do dia e ter certeza de fumar um bom charuto e encontrar um empresário bielorrusso ou um general cazaque com quem recriar o mundo. Havia um gigantesco aquário que acompanhava uma parede inteira, uma lareira transplantada de um castelo bávaro e um acúmulo delirante de ícones, estatuetas de marfim, mesas marchetadas. Dos bibelôs aos tapetes, víamos que cada objeto fora selecionado mais em função de seu valor monetário do que por algum requinte estético. No entanto, o efeito de conjunto não deixava de ter certo encanto, como o resultado de uma aventura que acabava bem, de um assalto a banco ou de uma noite triunfante numa mesa de blackjack. A casa de Tio Vânia redecorada por James Bond. Talvez não fosse o suprassumo do bom gosto, mas quase todos que nela entravam tinham um único desejo: ali ficar o máximo possível.

É preciso dizer que o clube era bem frequentado. Encontrávamos o melhor do que a política, o comércio, o espetáculo e o crime da capital eram capazes de produzir na época. Além disso, a partir de certa hora, chegavam criaturas do sexo feminino que pareciam desembarcadas de outra galáxia. Todos tentavam marcar um encontro com Boris o mais tarde possível, pois estar no clube depois das oito horas da noite significava um convite automático para a noite mais divertida da capital. Passada aquela hora, o trabalho e o prazer se misturavam completamente, e uma reunião sobre um projeto de negócios podia facilmente degenerar em orgia. O poder em Moscou é assim, ele nunca está separado da vida. Para vocês, os homens que o exercem não passam de contadores. Personagens cinzentos que acordam cedo, comem granola integral e ficam dentro de um escritório por dez, doze, catorze horas, fazendo o que precisa ser feito. Depois eles entram em seus carros e pedem ao motorista que os leve para casa, ou a um jantar com outros aborrecidos, ou, na melhor das hipóteses, à casa da amante. Fim da história. Na Rússia, isso seria inconcebível: temos uma concepção holística do poder.

Nessa época, meus pequenos feitos de produtor de televisão me valiam, de tempos em tempos, um convite para a casa Logovaz. Em geral, Berezovsky me chamava para ter notícias de um ou outro projeto audiovisual, às vezes para recomendar um primo ou uma dançarina. Uma noite, porém, a conversa seguiu um rumo inesperado. Estávamos no gabinete do primeiro andar, com seu velho sócio georgiano. Os dois tinham me parabenizado pela audiência da última imbecilidade que eu produzira e me pediam notícias dos próximos programas, mas logo percebi que tinham outra coisa em mente. Em certo momento, Berezovsky começou a falar de política. Ele mencionou o destino de um amigo ministro, que tinha acabado de ser defenestrado do governo. "A política russa é uma roleta-russa", ele disse. "A única coisa que importa é saber se estamos dispostos a apostar ou não."

E, virando-se para mim: "Sabe, Vádia, a beleza desse país é que, mesmo não jogando, corremos os mesmos riscos. Digamos que você fique tranquilo em seu canto e gerindo seus negócios: cedo ou tarde chegará um sujeito que tentará tirar de você o que é seu. Se ele tiver um pouco de poder, ou um pouco de força, talvez consiga. E você ficará a ver navios. Então melhor girar a roleta, não?".

O tom de Boris sempre inspirava dúvida. Ele estava apenas formulando uma observação de caráter sociológico, ou havia em suas palavras um componente menos abstrato, de ameaça?

"Foi o que aconteceu comigo, sabe? Eu estava tranquilo em meu canto, fazendo minhas coisas, tinha construído um negócio de alta qualidade, legítimo, moderno, à ocidental, com minha rede de concessionárias que vendiam montanhas de carros nos quatro cantos do país, até que um dia descobri um canalha querendo roubar meu negócio. E o que o imbecil fez? Abriu uma concessionária concorrente? Tentou me vencer no mercado, como fariam na América ou na Europa? Nada! O espertalhão encheu um velho Opel de TNT e o colocou no meu caminho. Assim, quando eu passasse de carro, ele apertaria um botão e *bum!*, adeus Berezovsky. Em todo caso, foi o que ele pensou. Só que não deu certo, porque Berezovsky tem mais vidas que um gato. Sabe o que aconteceu? Acabei com a cabeça de meu motorista no colo: um pedaço do maldito Opel cortou-a como uma guilhotina. Eu, por outro lado, nada. Alguns arranhões, e só. As pessoas olhavam para meu carro carbonizado e não acreditavam."

Boris balançava a cabeça, em sinal de incredulidade. "O que posso dizer, Vádia? Naquele dia, entendi que mesmo que você não queira saber do poder, o poder quer saber de você. Fui para a Suíça por quinze dias, para me tratar. E quando voltei a Moscou, sabe o que fiz? Me inscrevi no clube de tênis."

Eu conhecia o resto da história. Todo mundo em Moscou conhecia. Na época do atentado, o velho presidente já estava em declínio. Aparecia pouco no gabinete.

Ele tinha construído um clube esportivo na Colina dos Pardais e passava seu tempo jogando tênis. Ou bebendo em casa. Uma pequena corte de políticos e conspiradores rondava a seu redor. Pessoas que tinham se beneficiado enormemente da proximidade com o poder, mas que começavam a tremer à ideia de que aquele poder pudesse desaparecer. Para aqueles homens, personagens medíocres cujo único talento consistia em favorecer a vaidade e as pequenas fraquezas do chefe, Boris aparecera como uma espécie de messias. Sua inteligência, sua ambição e seu frenesi rapidamente conquistaram a simpatia da filha do presidente e, através dela, o velho urso em pessoa. É preciso dizer que, para eles, Berezovsky de fato representou uma dádiva do céu. Ele os convenceu de que nem tudo estava perdido e de que, mesmo cansado, o presidente ainda podia fazer algo. "Paizinho", tenho a impressão de vê-lo cochichando no ouvido do velho, "a Rússia ainda precisa de você, de sua coragem, de sua integridade. Você não vai deixar a mãe pátria na mão dos comunistas, não é mesmo?"

Com esses argumentos, Berezovsky conseguiu o controle da televisão estatal e, a partir disso, montou uma colossal campanha eleitoral. Em dois meses, ele conseguiu ressuscitar Iéltsin nas pesquisas, ou melhor, ele naufragou todos os seus rivais, dando a impressão de que a eleição deles coincidiria com a reabertura imediata dos gulags siberianos e a volta das filas para o pão. O único problema foi que, a duas semanas da eleição, o velho teve outro infarto. Naquele dia, ele teoricamente deveria gravar seu último comunicado à nação. A gravação foi cancelada, mas, depois de alguns dias, dada a abundância de falatórios, uma aparição do presidente se tornou indispensável. Então, como Iéltsin não estava em condições de ir a seu gabinete, Boris ordenou que os móveis do Kremlin fossem transportados para a residência do presidente de modo a dar a impressão de que ele estava pronto para voltar às atividades. Na gravação do comunicado, Iéltsin estava tão fraco que não conseguia se manter ereto na cadeira, então prenderam uma tábua a suas costas para sustentá-lo. Restava o problema do discurso: o presidente não estava em condições de articular palavras compreensíveis. Então pediram-lhe para mexer os lábios e todo o pronunciamento foi editado na sala de montagem, com fragmentos de discursos anteriores.

No dia da eleição, Iéltsin estava tão mal que não foi capaz de enfiar a cédula na urna. As câmeras de Berezovsky o filmaram na hora da votação e, na edição, os dois médicos de jaleco branco que seguravam o presidente foram retirados. Obviamente, como sempre acontece na Rússia quando se coloca a dose de resolução necessária, a manobra absurda deu certo e Iéltsin foi reeleito com ampla maioria. Depois, o velho urso voltou à letargia e Berezovsky se tornou o verdadeiro senhor da Rússia.

E aquele homem estava à minha frente: "A política russa é como uma roleta-russa, você está disposto a correr o risco, sim ou não?".

Claro que eu queria jogar. De certo modo, até então eu não fizera nada além de me preparar para isso.

"Não sei, Boris, gosto do meu trabalho.

– É verdade que você se sai muito bem nele. O que proponho é passar para o próximo nível. – Berezovsky me encarava com toda a intensidade de que eram capazes seus óculos de míope. – O que diria de parar de criar ficções e começar a criar a realidade?"

Eu não tinha a menor ideia do que ele estava falando. A seu lado, o georgiano sorria com a gentileza do primo da roça.

"Você sabe que tenho algumas relações dentro do Kremlin." Diante da evidente modéstia dessa afirmação, tive a impressão de que ele esperava alguma reação de minha parte, mas eu não disse nada. "No passado, aconteceu-me de, vez que outra, oferecer uma ajudinha", ele retomou, um pouco decepcionado. "Mas agora o cenário mudou completamente. Não se trata mais de apoiar uma coisa que já existe, mas de inventar algo que ainda não existe.

– E alguém... – interveio o sócio.

– E alguém, sim, claro, mas esse não é o problema. Na verdade, é preciso criar uma nova realidade. Não se trata de vencer uma eleição, mas de construir um mundo."

Embora Berezovsky só dissesse generalidades, eu começava a entender onde ele queria chegar. Tínhamos um pouco mais de um ano antes da próxima eleição presidencial, e depois de dois mandatos e cinco infartos, o velho urso estava fora de jogo. Mas Berezovsky tomara gosto pela coisa, é claro. E embora daquela vez a ameaça comunista fosse menos iminente que na vez anterior, ele de novo se via no papel do salvador da pátria. Ou no de marionetista que submete a realidade a seus interesses. O que, aliás, para ele era exatamente a mesma coisa.

"A primeira coisa de que precisamos é um partido. Já falei sobre isso com Tatiana. Precisamos criar o partido da Unidade. É o que está faltando. Chega de direita, esquerda, comunistas, liberais, as pessoas querem voltar a ter uma sensação de unidade. A nostalgia que elas sentem não é do comunismo em si, mas da ordem, do senso de comunidade, do orgulho de pertencer a algo realmente grande. Os russos não são e nunca serão como os americanos. Para eles, não basta guardar dinheiro para comprar uma lava-louças. Eles querem fazer parte de algo único. Eles estão dispostos a se sacrificar por isso. Temos o dever de lhes restituir uma perspectiva que vá além do próximo boleto do carro novo. Precisamos de unidade. Um movimento que devolva a dignidade às pessoas. Já coloquei os designers para trabalhar no símbolo do partido, veja, Vádia, o que acha?"

Berezovsky me passou uma folha na qual se via o perfil estilizado de um grande urso pardo. "Temos as raposas liberais, os mamutes comunistas, e também o urso, símbolo da alma russa, selvagem, poderoso e nobre. É disso que precisamos, Vádia: se as pessoas já não se interessam por política, daremos a elas uma mitologia!"

Lembro-me que Boris estava tão excitado que, num gesto desastrado, derrubou o porta-canetas que estava à sua frente. Ainda assim, seu raciocínio não deixava de fazer sentido. No início dos anos 1990, Gorbatchov e Iéltsin tinham feito a revolução, mas no dia seguinte a grande maioria dos russos tinha acordado num mundo desconhecido, no qual não sabia como viver. Antes da derrocada do sonho americano e europeu, houve a derrocada do sonho soviético. Nenhum de vocês percebeu, porque parecia impossível que um sonho fosse feito de coisas tão pobres e monótonas: uma respeitável profissão de funcionário ou professor, um pequeno Zhiguli, uma datcha com pomar, férias em Sóchi e de vez em quando em Varna, com os pés no Mar Negro e um bom churrasco entre amigos. Mas esse modelo tinha força e dignidade. Seus heróis eram o soldado e a professora primária, o caminhoneiro e o infatigável operário, retratados nos cartazes das ruas e das estações de metrô. Em poucos meses, tudo isso desapareceu. Os novos heróis, banqueiros e top-models, impuseram seu domínio, e os princípios sobre os quais se baseava a vida dos trezentos milhões de habitantes da URSS foram derrubados. Eles tinham crescido numa pátria e de repente se viram num supermercado. A descoberta do dinheiro foi o acontecimento mais transformador da época. E a descoberta de que o dinheiro podia não valer nada, com a queda da Bolsa e a inflação a três mil por cento.

A intuição de Berezovsky estava certa: as coisas estavam mudando, as pessoas estavam cansadas e queriam o retorno da ordem. Era preciso encontrar uma resposta a essa demanda antes que outro o fizesse.

9

Berezovsky marcara um encontro comigo na sede do FSB, antiga KGB. Ele me recebeu todo sorrisos, no sombrio sepulcro do hall de entrada, como se estivesse na sala da casa Logovaz. Ele parecia perfeitamente à vontade naquele lugar sinistro e, ao mesmo tempo, não resistia à tentação de me assustar um pouco. "Sabe o que os moscovitas diziam sobre o edifício Lubianka na época da URSS? Que era o prédio mais alto da cidade, pois de seus porões se via a Sibéria..."

Aquilo me fez rir, era o tipo de piada que meu avô faria e que meu pai não acharia engraçada. Eu vivia em outro planeta: na época, pensava que tínhamos deixado aquele mundo para trás, ainda não tinha entendido que nada acaba de fato. Atribuí nossa visita a uma forma de cortesia: na Rússia, manter relações cordiais com os serviços secretos sempre é uma boa ideia. Mas enquanto percorríamos o longo corredor sem janelas do terceiro andar, Boris me desmentiu: ao que parecia, o encontro estava ligado à nossa conversa da outra noite. "O diretor do FSB seria um bom candidato. Ninguém o conhece, mas o velho confia nele: provou a si mesmo em momentos decisivos. Ele é jovem, competente, moderno; exatamente o que a Rússia precisa. Além disso, você vai ver, é um homem modesto. Não quis ocupar o gabinete de seus antecessores, transformou-o em museu, como se dissesse: aquela época acabou".

Depois de uma breve passagem pelo secretariado, fomos introduzidos numa sala que poderia ter sido o escritório do chefe de gabinete do Ministério dos Correios. Seu ocupante, um loiro pálido de traços desbotados, que usava um terno de poliéster bege, tinha um rosto de funcionário, com uma imperceptível ponta de sarcasmo. "Vladimir Putin", ele disse, apertando minha mão.

Na época, o Czar ainda não era o Czar: de seus gestos não emanava a autoridade inflexível que eles adquiririam a seguir, e embora já adivinhássemos em seu olhar a qualidade mineral que hoje conhecemos, ela estava como que encoberta pelo esforço consciente de mantê-la sob controle. Dito isso, sua presença transmitia uma sensação de calma.

Como costumava fazer, Boris submergiu o diretor num rio de palavras que iam todas mais ou menos na mesma direção: cabia a ele, Putin, tomar as rédeas da situação para colocar a Rússia no novo milênio.

O diretor do FSB tentava resistir. "Veja bem, Boris, os serviços secretos têm todas as vantagens da política sem nenhum de seus inconvenientes. Aqui, estou no centro do sistema, ouço e vejo tudo o que há para saber e estou em condições de intervir, sem demasiadas complicações, caso precise proteger o presidente e sua família. Fiz isso no passado e você sabe que continuarei fazendo sempre que for necessário. Se vocês me tirarem daqui para me colocar no governo, ficarei sob os holofotes e não poderei fazer mais nada. Acabarei pulverizado, como os primeiros-ministros dos últimos anos, e vocês perderão o mais fiel guardião de sua tranquilidade neste palácio.

– Entendo o que diz, Volódia. Mas você precisa levar em conta uma coisa: se não nos mexermos logo, em um ano já não teremos nem presidente nem família para proteger. O que acha que será a primeira coisa que o novo chefe do Kremlin fará quando tomar posse de seu gabinete? Substituir o diretor do FSB, essa é a primeira coisa que ele fará."

Acomodado atrás de sua mesa de jacarandá, Putin pareceu sinceramente abalado. "É possível, mas deve haver outra solução! Stepachin é primeiro-ministro há apenas três meses, por que não aposta nele?

– Não posso, Volódia. Ele tem três por cento nas pesquisas. Você sabe como se comporta a opinião pública, em pouquíssimo tempo ela faz um julgamento que depois se torna quase impossível de modificar. As pessoas viram Stepachin em ação e estão convencidas de que ele não está à altura da missão. Francamente, estão certas. Você vê Stepachin guiando nossas tropas no Cáucaso? Seria como colocar uma AK-47 nas mãos de um ganso doméstico. A Rússia precisa de um homem, Volódia. Um verdadeiro líder que a guie no novo milênio.

– Entendo, Boris, mas o que o faz pensar que esse líder seja eu? Sou um funcionário, nunca fiz outra coisa, a vida toda, senão executar ordens e cumprir meu dever. Falei em público três ou quatro vezes, garanto a você que com resultados nada animadores. Vi o presidente em ação várias vezes: ele entra numa sala, cheira o ar e, um segundo depois, já conquistou todo mundo. Ele faz as pessoas rirem, chorarem, ele entra em conexão com elas como se estivesse sentado com cada uma à mesa da cozinha. Ainda hoje, apesar de seu estado, ele é capaz de fazer isso. As pessoas o veem e ficam comovidas. Não sou feito do mesmo barro.

– Permita-me dizer, Vladimir Vladimirovitch, que é exatamente disso que se trata."

O olhar glacial de Putin pousou sobre mim pela primeira vez. Enquanto isso, eu sentia que Berezovsky me encorajava a continuar.

"O presidente é dotado de uma personalidade única que não faria nenhum sentido tentar reproduzir. Suas qualidades humanas foram fundamentais para fazer nosso país passar da velha União Soviética à Rússia em que vivemos hoje. Mas depois de oito anos de governo e dada sua condição física, ele está muito desgastado. As pesquisas nos mostram que os russos se sentem abandonados por um homem que ainda amam, mas que deixaram de estimar."

A questão era delicada. Mas o diretor do FSB não formulou nenhuma objeção a ela.

"Por isso precisamos, segundo nossa avaliação, de uma figura diferente, que apresente tanto elementos de continuidade quanto de ruptura com o passado. Tornando-se primeiro-ministro, Vladimir Vladimirovitch, o senhor automaticamente desempenharia o papel de autoridade legítima, coisa fundamental para os russos, que não estão em busca de aventuras e desejam, sobretudo nesse momento, estabilidade e segurança. Por outro lado, sua figura produzirá um efeito de grande contraste com a do presidente atual. O senhor é jovem, esportivo, enérgico, passa a sensação de que pode arcar totalmente com as responsabilidades do comando. Seu passado nos serviços secretos constitui uma garantia de confiabilidade. Ser um homem de poucas palavras jogará a seu favor. Os russos estão cansados de charlatães. Eles querem ser guiados por uma mão firme que recupere a ordem das ruas e restaure a autoridade moral do Estado.

"Por isso, a campanha eleitoral que temos em mente não será feita de comícios e promessas. Na verdade, pensamos no exato oposto desse tipo de campanha. A aposta será não parecer um político como os outros.

"Veja bem, Vladimir Vladimirovitch, não conheço muito de política, mas sei que ela é um espetáculo. Posso lhe fazer uma pergunta? Sabe quem foi a maior atriz de todos os tempos?"

Putin, inexpressivo, sacudiu a cabeça.

"Greta Garbo. E sabe por quê? Porque o ídolo esquivo reforça seu poder. O mistério produz energia. A distância alimenta a veneração. O imaginário da sociedade russa, de qualquer sociedade que seja, se articula sobre duas dimensões. O eixo horizontal corresponde à proximidade com o cotidiano, o vertical corresponde à autoridade. Nos últimos anos, a política russa foi disputada exclusivamente no primeiro eixo, o horizontal, porque essa dimensão era quase totalmente desconhecida à época da URSS: de Gorbatchov, que parava para conversar com as pessoas na rua – coisa que nenhum líder soviético jamais faria –, até Iéltsin, que em certos momentos se apresentava mais como um companheiro de bebedeira do que como um líder de Estado.

"Hoje, porém, está claro que o pêndulo começou a se mover na direção contrária. O excesso de horizontalidade levou ao caos, a tiroteios nas ruas, à bancarrota financeira do Estado, a nossa humilhação no plano internacional. Perdoe-me pelo jogo de palavras, mas poderíamos dizer que o excesso de horizontalidade apagou o horizonte. Para traçarmos uma perspectiva, precisamos nos elevar. Os dados de que dispomos nos mostram que os russos têm um desejo de verticalidade, isto é, de autoridade. Recorrendo às categorias da psicanálise, poderíamos dizer que os russos querem um líder que os faça esquecer a linguagem da mãe e volte a impor a língua do pai. Como disse o prefeito de Moscou: 'A experiência terminou'.

– Mas ele não será o novo beneficiário – acrescentou Boris, que tinha uma série de questões não resolvidas com o primeiro cidadão da capital.

– Nesse ponto, penso que Berezovsky tem razão. Lujkov e o ex-primeiro-ministro Primakov estão à frente nas pesquisas porque, comparados a Iéltsin, aparecem como uma possibilidade de renovação. Mas os dois estão em cena há vários anos e têm uma imagem quase tão desgastada quanto a do presidente."

A meu lado, um dos raros homens cuja imagem pública estava ainda mais desgastada que a daqueles políticos balançava vigorosamente a cabeça. Ignorei-o e continuei meu raciocínio.

"Os russos, veja bem, estão com uma péssima impressão de seus dirigentes. Nesse momento em que a política está tão depreciada, a experiência, em vez de ser uma vantagem, se transforma em desvantagem. Por isso sua falta de experiência política será um trunfo, Vladimir Vladimirovitch. O senhor é o novo, os russos não o conhecem e não podem associá-lo a nenhum escândalo e a nenhum dos erros que eles atribuem aos governantes dos últimos anos. Como disse Boris, é verdade que a opinião pública se forma em pouco tempo, então o senhor terá poucos meses para convencer os russos de que é o homem certo. Mas estamos convencidos de que tem as qualidades necessárias para fazê-lo.

– Exatamente, Volódia, estamos convencidos disso – interveio Berezovsky. – E não esqueça que não estará sozinho.

Estarei a seu lado a todo momento para aconselhá-lo e ajudá-lo sempre que precisar."

Talvez eu me enganasse, mas depois de ouvir aquelas palavras pensei ter visto nos olhos de Putin, que permaneciam imóveis desde o início da conversa, um imperceptível brilho irônico. Seja como for, naquela noite Boris voltou para o clube muito satisfeito.

"Está na mão", ele repetia, "encontramos nosso cavalo vencedor. Não é nenhum prêmio Nobel de Ciências, mas, no que for preciso ser feito, ele se sairá muito bem. Ele é perfeito para o trabalho. Bastará entregá-lo a nossos gênios da publicidade e eles o transformarão num novo Alexandre Nevski. Ou em Greta Garbo, não é mesmo, Vádia?"

E ele ria como um garotinho.

O fato de eu sugerir ao diretor da antiga KGB o modelo de uma velha atriz americana lhe parecia hilário. Eu balançava a cabeça e ria com ele, mas a verdade é que aquele primeiro encontro com o Czar me deixara com um gosto estranho na boca. Eu não saberia defini-lo com exatidão, mas as coisas me pareciam mais complicadas do que Berezovsky as retratava.

Durante todo o nosso encontro, Putin demonstrara uma cortesia impecável para com Boris. Uma certa deferência, até, enquanto ouvia os conselhos do homem de negócios. No entanto, quando Berezovsky se dirigia a ele, com a familiaridade que lhe era própria, eu tivera a impressão de perceber uma sombra de irritação no olhar do funcionário. E, no fim, um brilho irônico, quando Boris prometera conduzi-lo passo a passo. Como se a ideia de ser guiado por aquele homem tivesse parecido extremamente engraçada ao diretor do FSB.

Berezovsky não percebera nada, obviamente, mas não precisei esperar muito para ver minhas dúvidas confirmadas.

Alguns dias depois, eu estava na sala de montagem quando senti a vibração imperiosa de meu celular: "Vadim Alexeievitch? Sou Igor Sechin, secretário de Vladimir Putin. O diretor gostaria de convidá-lo para almoçar na próxima terça-feira". Apesar da cortesia do convite, a voz do outro lado da linha não dava a impressão de cogitar uma recusa. Secretário homem, observei: sinal de distinção na velha nomenclatura soviética, que, ao contrário de Berezovsky, eu sabia reconhecer.

10

O ponto de encontro foi um restaurante francês recém-inaugurado, numa rua perpendicular ao Arbat. A escolha me deixou um pouco surpreso, não combinava com a imagem austera que eu fizera de Putin em nossa primeira conversa. Quando cheguei, Sechin, o secretário, estava na porta. "Rápido, Vadim Alexeievitch, Vladimir Vladimirovitch já está lá dentro!" Ele estava visivelmente irritado com a ideia de que um personagem insignificante como eu pudesse fazer seu chefe esperar.

Entrei no restaurante e vi Putin sozinho, sentado a uma mesa de canto, um pouco afastada das demais. Sua fisionomia estava tranquila, seus gestos eram calmos. Ele emanava uma fria impressão de poder, que obviamente escolhera não demonstrar no encontro anterior.

Ele apertou minha mão sem se levantar e, dirigindo-se ao maître, que o observava com a atitude de um pequeno roedor hipnotizado por uma cascavel: "O que nos sugere, Pavel Ivanovitch?

– Se gostam de frutos do mar, recomendo a vieira com musselina de couve-flor ou o linguado com lagostim flambado. Se preferem carne...

– Um prato de kasha, por favor.

– Dois."

O maître conteve um arrepio e se afastou rapidamente. Pela primeira vez eu presenciava a completa indiferença de Putin à comida, assim como mais tarde eu constataria a perfeita insensibilidade do Czar aos pequenos prazeres da vida. Como disse Fausto, "quem comanda deve encontrar sua felicidade no comando".

Enquanto isso, o diretor do FSB ia direto ao ponto: "Tenho muito respeito por Berezovsky e sou-lhe reconhecido pela oferta que me fez. Uma investida como a que estamos prestes a fazer envolve um esforço imenso, e Boris já demonstrou ser capaz de fazer milagres. Por outro lado, não sou um velho de sessenta e oito anos com cinco infartos nas costas. Se decidir me lançar nessa aventura, contarei com minhas próprias forças, não com a dos outros. Estou acostumado a cumprir ordens e, de certo modo, a meu ver, essa é a condição mais confortável para um homem. Mas o presidente da Rússia não pode nem deve estar submetido a quem quer que seja. A ideia de que suas decisões sejam condicionadas por um interesse privado é para mim totalmente inconcebível."

O olhar de Putin estava muito mais penetrante do que no dia do encontro com Berezovsky. Ele mergulhava no meu para sentir o efeito que suas palavras produziam em mim.

"Dada a maneira como você foi criado, Vadim Alexeievitch, acredito que compreenda o que estou dizendo."

Era verdade. A ideia de que o Estado detinha uma espécie de superioridade ética sobre o privado estava profundamente enraizada em mim. O espetáculo de Boris e de seus colegas passando a toda velocidade por ruas fechadas, com as luzes rotativas acesas, me ofendia profundamente, como acho que ofendia à maioria dos moscovitas.

"Sua análise do outro dia me impressionou", continuou Putin. "Conheço sua trajetória. Acho que poderia fazer uma contribuição apreciável a meu trabalho, qualquer que ele seja, agora ou mais tarde. Mas primeiro precisamos deixar uma coisa bem clara. Por mais que eu respeite Berezovsky, não estou disposto a me colocar em suas mãos. Se aceitar minha oferta, Vadim Alexeievitch, você trabalhará exclusivamente para mim. A administração lhe garantirá um salário, inferior ao que recebe agora, temo eu, mas você fará com que ele seja suficiente. Não tolerarei nenhum bônus, nenhum benefício vindo de Boris ou de quem quer que seja. Se seu interesse estiver no dinheiro, continue trabalhando no setor privado. Quem está a serviço do Estado deve privilegiar o interesse público sobre todos os outros, inclusive o próprio. Se assumir esse compromisso, creio não ser necessário lhe dizer que disponho de meios para garantir que você o respeite."

Não podemos dizer que ele perdesse tempo. Durante minha breve carreira de produtor de televisão, eu me acostumara a ser bajulado e de bom grado dispensaria a seca proposta do diretor do FSB. O problema é que sua análise estava correta. Ele tinha entendido que o dinheiro me interessava menos que outras coisas, com certeza menos que a possibilidade de participar de um projeto como o que Putin parecia ter em mente. Melhor falar sem rodeios e ir direto ao ponto. A seguir, eu veria que o Czar sempre agia assim. Ele entendia o cerne do problema mais rapidamente que os demais e não hesitava em queimar etapas. Delicadezas e fórmulas de cortesia não combinavam com ele.

"Refleti sobre seu conceito de verticalidade. Ele é interessante, mas não pode ficar suspenso no ar como um balão vermelho. Precisa estar ancorado no chão e ser aplicado a um caso concreto. O país está em pleno caos e precisa de um guia seguro, mas achar que é possível resolver todos os problemas de uma só vez seria uma ilusão. Precisamos de uma cena política bem definida, na qual restaurar a verticalidade do poder de maneira imediata e específica. Caso contrário, corremos o risco de nos perder e de parecermos impotentes como todos os outros.

– Exatamente, Vladimir Vladimirovitch, mas existem circunstâncias, imprevistos.

– Confie em mim, Vadim Alexeievitch, imprevistos sempre são fruto da incompetência. Aliás, não foi seu Stanislavski que disse que a técnica não é suficiente, e que para chegar à verdadeira criação o imprevisto é necessário?"

Percebi nos olhos de Putin o mesmo brilho irônico que acreditei vislumbrar no Lubianka, dessa vez mais franco. De minha parte, fiquei estupefato. Até a semana anterior eu teria jurado que ele não conhecia nem o nome de Stanislavski.

"A arena ideal está sob nossos olhos", continuou Putin. "A pátria está sob pressão. Os fundamentalistas islâmicos já não se contentam com a Tchetchênia, eles querem tomar o Daguestão, a Inguchétia e a Basquíria, até o coração do país. Se deixarmos que ajam, em alguns anos não veremos mais nenhum vestígio da Federação.

– Perdoe-me, Vladimir Vladimirovitch, mas preciso pensar duas vezes antes de tomar parte nessa barafunda. Nos últimos anos, a Tchetchênia matou mais carreiras políticas em Moscou do que inimigos no campo de batalha.

– Porque nenhum desses políticos enfrentou a questão com energia. Eles queriam fazer a guerra sem declará-la, uma guerra humana, à americana, e veja no que deu.

Foram massacrados pelos islamistas. Estou falando de outra coisa. Ganhar o prêmio Nobel da Paz não me interessa. O que me interessa é vencer os separatistas e a ameaça que eles representam para a integridade da Federação Russa.

– Não discuto motivos geopolíticos, Vladimir Vladimirovitch, não entendo nada do assunto. O que posso lhe dizer, em contrapartida, é que, politicamente, seria um suicídio.

– É aí que se engana, Vadim Alexeievitch, você se deixou convencer pelos ocidentais de que uma campanha eleitoral consiste em duas equipes de economistas discutindo em torno de um arquivo PowerPoint. Não é o caso: na Rússia, o poder é outra coisa."

Naquele dia, não entendi direito a alusão de Putin. Mas saí do almoço com uma certeza: Berezovsky cometera um grande erro. O homem com quem eu acabara de compartilhar a refeição nunca consentiria em se deixar guiar por quem quer que fosse. Talvez fosse possível acompanhá-lo, e essa era minha intenção, mas certamente nunca guiá-lo. Boris tinha todo interesse do mundo em se dar conta disso o mais rápido possível.

11

Aquele que mora no Kremlin é senhor do tempo. Tudo muda em torno da fortaleza, mas dentro dela a vida parece ter parado, ritmada apenas pelas badaladas solenes do relógio da Torre Spassky e pelas rondas dos sentinelas da guarda presidencial. Há séculos, aquele que atravessa os portões do gigantesco fóssil que Ivã, o Terrível, quis no centro de Moscou sente sobre si o peso de um poder ilimitado, acostumado a esmagar os destinos dos homens com a mesma facilidade com que acariciamos a cabeça de um recém-nascido. Essa força se espalha em círculos concêntricos pelas ruas da cidade, conferindo a Moscou uma aura ameaçadora que constitui grande parte de seu encanto. O volume desajeitado do Lubianka, as sete torres que cercam as avenidas do centro e, hoje, os arranha-céus de Moscow-City e as mansões rococó de Rublevka não passam de um reflexo da sombria energia proveniente do centro da fortaleza.

Durante o verão de 1999, no entanto, esse encanto se rompeu. Das salas do palácio presidencial vinha o sopro alcoólico de um urso siberiano, gordo e cansado, cercado por um pequeno séquito de íntimos cobertos de diamantes, cada vez mais assustados com o espetáculo de decomposição do homem a quem deviam suas fortunas. Iéltsin se tornara um peso. Além de já não ser capaz de protegê-los, corria o risco de precipitá-los no abismo.

Lá fora, a cidade animal sentia que o jugo da autoridade afrouxara. Moscou já não era a capital do império. Tornara-se a metrópole dos celulares que tocavam durante as apresentações no Bolshoi e das metralhadoras automáticas usadas em acertos de contas entre mafiosos que impunham a lei da selva. Não era mais o Kremlin que dava o tom, mas o dinheiro. E os Mercedes blindados dos oligarcas percorriam as ruas do centro, como no tempo dos czares os cocheiros dos nobres abriam caminho entre a multidão a chicotadas. Enquanto isso, a gente simples, o povo dócil de Moscou, voltava para casa depois do trabalho e não tinha dinheiro nem para pagar a calefação.

Nos primeiros dias de agosto, o velho urso designou um novo primeiro-ministro, desconhecido da maioria das pessoas. A nomeação de Vladimir Putin foi recebida com ceticismo geral. Ele era o quinto líder de governo que Iéltsin entronizava em pouco mais de um ano. "Nem vale a pena sancionarmos o nome", dissera o líder da Duma Federal, "em dois meses outro tomará seu lugar." Putin via as coisas com outros olhos. Ele sabia que tinha poucas semanas para deixar sua marca na opinião pública e não pretendia perder tempo.

Nosso gabinete não ficava no Kremlin, mas dentro do antigo Palácio dos Sovietes, apelidado de Casa Branca: um enorme bloco de naftalina nas margens do Rio Moscou, que não conseguira salvar o país das traças. Originalmente, o Soviete Supremo da União Soviética se reunia ali, mas agora, mais modestamente, o governo da Federação Russa o ocupava. Depois que o velho urso ordenara que tanques o bombardeassem num momento de irritação, uma empresa suíça o recuperara em poucos meses, mas não podemos dizer que ali se respirasse algum tipo de eficácia alpina. Os corredores eram povoados por personagens pacatos, de aparência arcaica, vestidos de cinza e marrom. Figuras fora do tempo que pareciam esculpidas em cera; resquícios de um mundo baseado na duração, o exato oposto do que havia nas ruas, o insano turbilhão de dólares e câmeras do qual eu vinha.

No andar do primeiro-ministro, vinte salas tinham sido liberadas para os recém-chegados. Foi onde nos instalamos: Putin, seu secretariado, os conselheiros econômicos e militares, o setor de comunicação. Trabalhávamos dia e noite: aquelas paredes assépticas mal conseguiam conter a força de nossas ambições. A poucos metros de distância, em contrapartida, a vida dos funcionários transcorria placidamente, como a canção de ninar de uma babushka do século XIX. Mais tarde, eu descobriria que os ministérios são sempre assim. Um pequeno grupo trabalha freneticamente numa sala e todos os outros não fazem nada. Há pouquíssimas trocas entre uns e outros. Alguns olhares respeitosos, nem sempre desprovidos de ironia. À espera de que aquela enésima invasão, sobre a qual a grama cedo ou tarde cresceria, também passasse.

Não creio que tenham entendido que nós éramos os que estavam destinados a permanecer. Como poderiam? Parecíamos com todos os outros. Funcionários com ternos sob medida, laptops e a soberba daqueles que têm todas as respostas porque falam inglês. Aos olhos deles, no entanto, eu era diferente. Às vezes um daqueles espectros ministeriais me parava num corredor. "Posso lhe incomodar por um momento, Vadim Alexeievitch?

– Claro, sou todo ouvidos.

– Queria lhe dizer que conheci seu pai. Um grande sujeito. Bons tempos! Não se fazem mais homens como ele!"

Alguns diziam isso para me bajular, certamente. Mas, na maioria das vezes, aquelas sombras cruzavam meu caminho somente para estabelecer contato. Elas ficavam mais tranquilas de saber que havia entre nós alguém que conhecera o mundo antigo. E sabe de uma coisa? Isso me tranquilizava também. Sempre que um daqueles personagens que pareciam sair de um livro de Gogol pronunciava o nome de meu pai, eu me sentia penetrado por um calor que me devolvia à infância, aos casacos de pele e aos veículos funcionais, aos pirojki e às costeletas da Rua Granovskovo. Eu lia em seus olhos a mesma nostalgia, eles tinham me conhecido criança – se não eu, alguém como eu, talvez seus próprios filhos. Antigamente, eles tinham motivo de orgulho. Trabalhavam no Soviete Supremo, no Comitê Central. Voltavam para casa e contavam aos filhos: "Hoje vi o camarada Gromiko, que regressou de Cabul, ele parecia satisfeito, as coisas parecem melhor no Afeganistão".

Tudo já estava acabado, mas eles ainda acreditavam, em todo caso podiam fingir acreditar, sem que ninguém pensasse em desmenti-los. Agora, eles tinham perdido até o direito de fingir. Restava o orgulho da permanência, o privilégio de observar os recém-chegados com os olhos de antigamente. Interagindo com eles, eu tinha a impressão de me aproximar de meu pai, pela primeira vez entendia o que lhe acontecera. Descobri com certa surpresa a presença também em mim de um gene capaz de se adaptar àquele tipo de existência: viver como se lêssemos uma pilha de jornais, com o desejo de nos livrarmos dela.

Eu trabalhava dezoito horas por dia: ao lado do primeiro-ministro, participava de uma série ininterrupta de reuniões, durante as quais eram tomadas decisões históricas. Mas quanto mais eu afundava na rotina do governo dos homens, mais o mundo me parecia cheio de mal-entendidos, fadado às explicações inúteis e às ocasiões perdidas. Imenso projeto, jamais terminado, que consome vidas inteiras sem deixar rastros: como eu pudera acreditar ser possível abalar a superfície daquele mar, mudo e indiferente?

Então tivemos um imprevisto. Numa noite de outono, pouco depois da meia-noite, enquanto o bravo povo moscovita se aninhava sob seus cobertores, deixando a cidade para os mafiosos e as top-models, um enorme estrondo sacudiu as trevas da capital. Na Rua Guryanova, na periferia de Moscou, centenas de quilos de explosivos literalmente cortaram no meio um prédio residencial de nove andares. Surpreendidas durante o sono, dezenas de famílias foram engolidas pela explosão. Quatro dias depois, houve uma segunda explosão, às cinco horas da manhã. Outro prédio destruído no subúrbio, com mais de cem vítimas.

Mais tarde, algumas pessoas disseram que as bombas tinham sido colocadas por amigos de Putin, agentes dos serviços secretos. Francamente, eu não saberia dizer. Se isso for verdade, ainda bem que ninguém compartilhou o segredo comigo. Dito isso, posso dizer por experiência própria que as coisas em geral são mais simples do que parecem. É claro que, em política, remediar vale mais do que prevenir. Se você frustra um atentado antes que ele aconteça, ninguém fica sabendo, ao passo que reagir com força, caçar os culpados, isso sim produz capital político. Mas daí a dizer que as bombas foram colocadas pelo FSB e não por terroristas tchetchenos...

Seja como for, essas bombas foram nosso 11 de Setembro, com dois anos de antecedência. Elas mudaram absolutamente tudo. Até então, a guerra na Tchetchênia era uma questão distante que só dizia respeito às famílias que tinham filhos militares na região. Envolvia uma pequena minoria. Mas quando os prédios nos subúrbios de Moscou começaram a explodir no meio da noite, matando centenas de cidadãos que dormiam o sono dos justos, pela primeira vez os russos se viram com a guerra dentro de casa.

Nosso povo é corajoso, está acostumado ao sacrifício. Mas devo dizer que nunca vi um pânico como o que se seguiu à explosão das bombas. As pessoas não tinham coragem de voltar para casa para dormir. Elas organizavam rondas noturnas em torno das casas e se por acaso um desconhecido barbudo passasse pelas redondezas, ele corria o risco de apanhar até a morte.

Felizmente, à frente do Estado havia um homem capaz de responder à situação. Retrospectivamente, as pessoas tendem a atribuir ao Czar poderes sobrenaturais, mas na verdade a única qualidade indispensável para um homem de poder é a capacidade de aproveitar as circunstâncias. Não de querer dirigi-las, mas de capturá-las com mão firme.

Putin nunca gostou de falar em público, mas estava claro que o povo precisava ouvi-lo. Estávamos no Cazaquistão para uma visita oficial. Melhor assim, o ouro do Kremlin teria sido inadequado: queríamos um lugar mais simples, com a atmosfera de urgência de um conselho de guerra improvisado. A coletiva de imprensa começou com algumas questões técnicas: o atraso dos socorros, o andamento das investigações. O primeiro-ministro respondeu com a calma que o caracteriza, preciso, sem um pingo de emoção: o funcionário asceta que os russos começavam a conhecer. Então um jornalista lhe fez uma pergunta um pouco mais polêmica: "Parece que, em resposta aos atentados, o senhor ordenou o bombardeio do aeroporto de Grozny. Não pensa que ações desse tipo correm o risco de agravar a situação?".

Nesse momento, produziu-se um fenômeno que até hoje não sei explicar direito. Putin ficou em silêncio por um momento. E quando tomou a palavra, não tinha mudado de expressão, mas sua presença adquirira uma consistência diferente, como se seu corpo estivesse imerso numa tina de nitrogênio líquido. O funcionário asceta de repente se transformara no arcanjo da morte. Era a primeira vez que eu assistia a um fenômeno do gênero. Nunca, nem mesmo nos melhores teatros, eu fora testemunha de uma transfiguração como aquela.

"Estou cansado de responder a perguntas como essa", ele murmurou sem nem mesmo olhar para o jornalista que tinha feito a pergunta. "Caçaremos os terroristas onde eles estiverem escondidos. Se eles estiverem num aeroporto, atacaremos o aeroporto, se eles estiverem no banheiro, desculpem-me a linguagem, iremos atrás deles até na privada."

Dito assim, pode parecer banal e talvez um pouco vulgar, mas o senhor não faz ideia do impacto que essa frase produziu no público. Era a voz do comando e do controle. Fazia muito tempo que os russos não a ouviam, mas eles a reconheceram na hora, porque era a voz com que seus pais e avós estavam acostumados. Um imenso suspiro de alívio varreu as avenidas de Moscou e seus subúrbios trêmulos, as florestas e as planícies infinitas da Sibéria. No topo, havia novamente alguém capaz de garantir a ordem.

Naquele dia, Putin se tornou Czar de pleno direito. E eu me lembrei de uma lição de meu avô. "Sabe qual o problema?", ele me perguntara um dia em que caminhávamos no bosque de sua propriedade. "O olho humano foi feito para sobreviver na floresta. Por isso ele é sensível ao movimento. O que quer que se mova, mesmo na periferia mais distante de nossa visão, o olho o capta e transporta a informação para o cérebro. Em compensação, sabe o que não enxergamos?" Sacudi a cabeça. "O que se mantém imóvel, Vádia. No meio das mudanças, não estamos treinados a distinguir as coisas que permanecem iguais. É um grande problema porque, pensando bem, as coisas que não mudam quase sempre são as mais importantes."

É uma lição que nunca esqueci. Nenhum de nós a seguiu. Mas é por isso que quando o Czar fala de política, ele nunca dá números: ele usa a linguagem da vida, da morte, da honra, da pátria. O governo dos homens não é uma atividade que pode ser deixada a um bando de covardes, preguiçosos demais para fazer dinheiro, tímidos demais para se tornarem estrelas do rock. Contadores em busca de glória, homúnculos que pensam que a política se limita à administração de um prédio.

Ela está longe de ser isso. A política tem um único objetivo: responder aos terrores do homem. É por isso que quando o Estado já não é capaz de proteger os cidadãos do medo, a própria base de sua existência é posta em questão. No outono de 1999, quando a batalha do Cáucaso se desloca para Moscou, e quando os prédios de nove andares começam a cair como castelos de areia, o bom cidadão moscovita, já desorientado, vê pela primeira vez à sua frente o espectro da guerra civil. Anarquia, dissolução, morte. O terror primordial, que o desmantelamento da União Soviética não conseguira despertar, começa a penetrar as mentes. O que vai acontecer?

A vertical do poder é a única resposta satisfatória, a única capaz de acalmar a angústia do homem exposto à ferocidade do mundo. Depois das bombas, portanto, seu restabelecimento se tornou, mais do que nunca, a prioridade do Czar. Sair da lógica ocidental do orçamento e do debate entre burocratas que comparam curvas estatísticas, para construir um sistema que satisfaça as exigências fundamentais do homem: essa foi a missão que nos atribuímos a partir daquele momento. A política das profundezas, dia e noite, sem nenhuma interrupção.

12

Na manhã de 31 de dezembro de 1999, enquanto os jornais ocidentais estavam cheios de artigos ridículos sobre o bug do milênio, que poderia arruinar computadores e derrubar aviões, Putin me convocou a seu gabinete. "Diga-me, Vadim, a academia de arte dramática lhe ensinou a pular de paraquedas?"

Aquela me pareceu uma pergunta de gosto duvidoso e me mantive em silêncio.

"Ao menos aprendeu a fazer de conta, não?"

A ironia de sempre brilhava nos olhos do Czar. Em pé a seu lado, Sechin admirava a cena com a volúpia do doberman que finalmente foi autorizado a comer o gatinho do jardim do vizinho. Como continuei calado, Putin acrescentou, num tom seco: "Em todo caso, prepare-se, saímos depois do almoço".

Algumas horas depois, realmente, chegamos ao aeroporto militar, onde pegamos um voo para a capital do Daguestão. De lá, pegamos três helicópteros para Gudermes, na Tchetchênia. A bordo, já se respirava o ar de excitação e loucura que cerca a guerra, quando continuar vivo já provoca uma descarga de adrenalina. Para mim, era uma novidade: quando fiz dezoito anos, os últimos privilégios de meu pai me permitiram não prestar o serviço militar. Ali, enquanto eu ouvia distraidamente as brincadeiras que Putin fazia com os oficiais e pela primeira vez respirava os vapores da guerra, comecei a entender como alguns homens podem apreciá-los, a ponto de preferi-los a qualquer outra droga. Ao contrário dos helicópteros civis nos quais eu tivera ocasião de andar até então, aquele ali não tinha nenhuma abertura para o lado de fora. Estávamos dentro de uma cabine blindada, suspensa na noite do Cáucaso, e em poucos minutos esse simples fato transformara perfeitos estranhos em irmãos, unidos, mais do que pelo medo, pela exigência de não deixar transparecer nenhum rastro de medo, de evitá-lo com o máximo de cuidado. Apesar do barulho ensurdecedor produzido pelas hélices do helicóptero, todos estavam com vontade de conversar. Começamos trocando lembranças de Ano Novo de nossas infâncias. Alguns tinham crescido em aldeias perdidas, outros em Cazã ou Novossibirsk, mas ficou claro que nenhum de nós jamais imaginara que um dia passaria o fim do ano a bordo de um helicóptero na companhia do Czar. Putin, da primeira fila onde estava, se voltava o tempo todo para nós, e pela expressão de seus olhos entendíamos que seu maravilhamento era ainda maior. No fundo, agora o czar era ele.

Em dado momento, alguém se deu conta que as doze badaladas da meia-noite estavam quase chegando e Sechin, que na época ainda não se familiarizara com os bons vinhos franceses, abriu uma garrafa de champanhe moldavo. Brindamos à saúde do povo russo, depois à das tropas que encontraríamos, mas naquele exato momento os pilotos nos anunciaram que não havia condições de pouso: eles precisavam de uma visibilidade de 150 metros e ela era de apenas cem, ou algo assim. O clima mudou na mesma hora. O Czar tentou insistir para que aterrissássemos, mas quando ele entendeu que não seria possível, calou-se. Os helicópteros fizeram o caminho de volta e todos pensaram que a missão fora abortada. No fundo, também havia tropas a serem passadas em revista no Daguestão, diziam uns e outros em tom mundano, iríamos a Gudermes na próxima vez.

Pessoalmente, abstive-me de dizer o que quer que fosse. Aconselhar um príncipe a abdicar nunca é uma boa ideia, mesmo nos casos mais anódinos. De fato, assim que os helicópteros pousaram na pista de onde tínhamos saído, entendemos que se o Czar decidira festejar o Ano Novo na Tchetchênia, seria para lá que iríamos, mesmo que detonássemos uma mina ou caíssemos num despenhadeiro. A uma hora da manhã, subimos em jipes e nos dirigimos aos desfiladeiros. Por um tempo infinito, mergulhados em total escuridão, percorremos as ravinas do Cáucaso: sem enxergar nada, adivinhávamos naquelas trevas a presença de uma paisagem escura, fustigada pelo vento e pelo frio, e a irresistível vontade do homem que nos conduzia. Levamos quase quatro horas, mas chegamos a Gudermes pouco antes do alvorecer. Os soldados estavam sonolentos e surpresos. Eles não podiam acreditar que o Czar tivesse se dado todo aquele trabalho para vê-los. Quase todos eram garotos de uniforme, que esfregavam os olhos como se estivessem num conto de fadas.

Depois de rapidamente passar as tropas em revista, nós nos vimos dentro de uma barraca diante de trinta oficiais. Ali, percebíamos uma situação reduzida a seus traços essenciais, como na idade do ferro. A visita das autoridades impressionava, sem dúvida, mas estávamos num lugar onde a autoridade era conquistada no campo de batalha. A proximidade da morte simplificava bastante as coisas; não havia espaço para cortesias. Os homens observavam Putin com a mistura de deferência e ironia que caracteriza a relação dos russos com o poder. Eles pareciam à espera. Um cameraman que viajara conosco filmava a cena. Era difícil não se sentir um turista. Para celebrar o novo ano, o comandante da unidade previra um brinde. Todos os olhares estavam fixos no Czar. Mas, já com a taça na mão, Putin fez uma pausa.

"Esperem um pouco", ele disse, passando os olhos de gelo sobre os presentes, "eu gostaria de beber à saúde dos feridos e dirigir meus melhores votos a todos os presentes, mas temos muitos problemas e grandes tarefas pela frente. Vocês sabem disso muito bem. Vocês conhecem os planos do inimigo. Nós os conhecemos também. Sabemos quais serão suas provocações, inclusive as futuras. E sabemos onde elas ocorrerão. Não podemos nos permitir nenhum segundo de fraqueza. Nem um único segundo. Se baixarmos a guarda, os que morreram terão morrido em vão. Por isso sugiro que pousemos nossas taças. Beberemos juntos, mas mais tarde."

Eu não lhe sugerira aquilo. Não creio que tivesse premeditado aquele gesto. Mas atingiu os presentes como se derramasse um balde de água gelada na cabeça deles. Naquele momento, o Czar e os militares se tornaram uma única e mesma coisa, como uma família durante um incêndio, unida pelo amor e pelo orgulho. Depois, cercado pelos oficiais, o Czar distribuiu medalhas e facas de caça aos soldados: "Vocês não estão lutando apenas para defender a honra e a dignidade do país", ele lhes disse. "Vocês estão aqui para pôr um fim à desintegração da Rússia."

Naquela noite, nos jornais, os russos puderam ver seus soldados, de olhos úmidos, determinados e orgulhosos como não víamos há anos. Porque à frente deles havia um novo líder.

Foi naquele momento que comecei a desconfiar que Putin estava na categoria dos grandes atores, como dizia Stanislavski. Existem três tipos de intérpretes. O primeiro tem um talento instintivo, que, quando ele está em forma, consegue arrastar seu público; mas não nos dias ruins, em que ele se torna enfático e incômodo. É o tipo de ator que pode destruir sozinho uma produção inteira. Depois há o ator metódico, que estuda, que faz exercícios de respiração, passa noites repetindo gestos e entoações. Com este é o contrário, você não corre o risco de sentir grandes emoções, mas ele não decepciona. Ele sempre faz o que precisa ser feito e podemos contar com seus imutáveis clichês em todas as circunstâncias. Putin não é nem um nem outro. Como todos os grandes políticos, ele pertence ao terceiro tipo: o ator que coloca a si mesmo em cena, que não precisa atuar porque está tão impregnado por seu papel que o roteiro da peça se tornou sua própria história, correndo em suas veias. Quando um diretor tem nas mãos um fenômeno desse tipo, ele não precisa fazer quase nada. Ele precisa se contentar em acompanhá-lo. Evitar complicar sua vida. Dar-lhe um empurrãozinho de tempos em tempos, de leve. A campanha eleitoral evoluía daquele jeito. Teoricamente, eu deveria ser o diretor, o estrategista, como dizia Boris, que por sua vez pensava sê-lo. Mas não era nada disso. Putin já estava no comando. Sozinho.

Enquanto tudo isso acontecia, Berezovsky continuava no mundo dos sonhos. Ele assediava o Czar com telefonemas e pedidos de reunião. Ele se oferecia como mediador na Tchetchênia, como embaixador na Europa, como diretor de campanha em Moscou. O vírus da política é a pior coisa que existe. Principalmente quando ele atinge os que têm anticorpos para mantê-lo sob controle. Boris era um homem muito inteligente. Mas a inteligência não protege de nada, nem da estupidez.

Lembro-me de uma reunião no gabinete do Czar, na Casa Branca. Berezovsky, que não via Putin havia semanas, estava mais agitado que de costume. "Estamos nos tornando negativos demais, Volódia, sombrios demais. Tudo bem, estamos em guerra, entendemos que você é um grande general, que nos conduzirá à vitória, mandarei construir um arco do triunfo em sua homenagem, se quiser. Mas sabe o que Júlio César fez quando voltou da Gália? Ele se encheu de dívidas até o pescoço para oferecer aos romanos três semanas de festas. *Panem et circenses*, Volódia, isso lhe diz alguma coisa? Você nem precisa se encher de dívidas, porque eu vou pagar a conta. Mas precisamos oferecer alguma coisa aos russos, se não, em vez de votar, eles vão se atirar pela janela!"

Na verdade, quem estava a ponto de se atirar pela janela era ele, Berezovsky, e o Czar sabia disso muito bem. Ele precisava se sentir indispensável, mas sentia, pelo contrário, que sua utilidade diminuía dia após dia. A não-campanha que eu criara para Putin não lhe custava nenhum rublo, mas Boris precisava dos créditos. Ele queria que recorrêssemos a ele, a suas emissoras de televisão, a seu caixa dois para financiar anúncios publicitários, cartazes, comícios. "Me disseram que você não quis os espaços publicitários gratuitos na televisão? Se continuar assim, as pessoas vão esquecer que você é candidato, Volódia.

Elas vão pensar que você está abrindo caminho para Lujkov ou para Primakov.

– Não seja ridículo, Boris. – Era a primeira vez que eu ouvia o Czar se dirigir a Berezovsky num tom tão cortante. – Nós somos o governo. Nossa campanha é a informação, as coisas que fazemos, a história que escrevemos. Ninguém acredita na publicidade, os fatos são a única publicidade que nos interessa."

Berezovsky se retirou como se tivesse sido picado por um escorpião. Por um breve momento, pensei que ele finalmente se dera conta de seu erro. Mas claro que me enganei. Boris tinha ido muito mais longe. Anos de apostas vencidas e de poder ilimitado o haviam deixado mais entorpecido que um bezerro no abatedouro. Ele já não era capaz de avaliar corretamente as relações de força. Em vez de analisar as dinâmicas objetivas que se desenrolavam sob seus olhos, ele adquirira o hábito de julgar tudo em termos de relações pessoais. Claro que sua ajuda foi importante para a ascensão do Czar. E, eu acrescentaria, Putin não é um ingrato. Ele não é daqueles que, ao chegar ao poder, recompensam os que o ajudaram enviando-os para as minas de sal. Nesse ponto, Berezovsky acertou: o Czar conhece e cultiva o senso de reconhecimento.

Mas ele é um homem de poder. Ele tem gosto por ele, sente necessidade dele. Não sei como Boris pôde imaginar que, uma vez no trono, o Czar aceitaria compartilhar o cetro com ele. Ou mesmo tolerar manter uma relação de igual para igual com um de seus súditos. Bastava observá-lo um pouco para perceber isso. Mas esse foi justamente o problema: Berezovsky nunca passara um único momento observando Putin com seriedade. Ele o conhecera como um executor silencioso e nunca, jamais, lhe ocorrera que sua impenetrável reserva pudesse esconder outra coisa além de uma natureza servil e desprovida de imaginação.

É verdade que cada um de nós é melhor em algumas coisas do que outras, mas raras vezes vi uma combinação de inteligência aguda com estupidez abissal como em Berezovsky. Ele era capaz de montar sistemas complicadíssimos e criar tesouros do nada, como um gênio da lâmpada. Mas havia coisas que lhe escapavam e que pareceriam evidentes ao último dos subalternos. Definitivamente, acho que ele era tão profundamente autocentrado que nunca tinha tempo de observar os outros. Um defeito pelo qual acabou pagando muito caro.

13

O Czar restaurou a vertical do poder na Rússia e os eleitores lhe foram reconhecidos. Ganhamos as eleições no primeiro turno, com ampla maioria. Mas a luta contra as forças que faziam temer a dissolução do país estava apenas começando, pois os inimigos mais perigosos estavam dentro de nosso campo. Depois da eleição de Putin, Berezovsky se colocou em estado de espera. Ele parou de importunar o Kremlin com telefonemas aos quais ninguém respondia. Um de seus jornalistas criticou a pompa da posse. Outros ironizaram a formação do governo. Mas entendemos que Boris esperava outra coisa: a ocasião de fazer o Czar compreender que ele é que mandava de fato. E a ocasião um dia se apresentou.

Em meados de agosto, Putin deixou Moscou para viajar a Sóchi de férias. Na época, o Czar ainda se contentava com pouco em matéria de distrações. Ele ainda não conhecera Berlusconi, não se familiarizara com os Patek Philippe edição limitada, nem com os iates de 120 metros de comprimento. Alguns dias de luxo estatal na velha residência estival dos secretários do PCUS, na companhia da esposa e das filhas, um passeio de barco e um churrasco com espetinhos de porco e esturjão nos dias de sol bastavam grandemente para satisfazer o gosto simples do funcionário que ele recém deixara de ser.

Poucos dias depois de sua chegada a Sóchi, porém, a tranquilidade do Czar sofreu uma brusca interrupção, quando um submarino nuclear da Marinha da Rússia naufragou durante um exercício no Mar de Barents. A bordo, uma centena de membros da tripulação: alguns morreram na hora, outros ficaram presos no fundo do mar. No início, tentamos guardar segredo do ocorrido, como sempre se fez, mas dois dias depois a notícia começou a vazar, não se sabe como.

Berezovsky pulou sobre ela como um urso à espreita. A ORT interrompeu a programação para cobrir os fatos ao vivo. Eles alugaram um helicóptero para sobrevoar a região onde o submarino naufragara. Foram às capitais europeias para entrevistar especialistas que se perguntavam por que as autoridades russas recusavam seu auxílio aos marinheiros. Eles levaram à emissora engenheiros que analisavam as probabilidades de asfixia, psicólogos que descreviam nos mínimos detalhes o sentido da palavra "claustrofobia". E, acima de tudo, as famílias. Eles foram buscar, um a um, os pais dos infelizes que estavam presos dentro do submarino. Cada babushka tinha uma história dilacerante para contar, cada noiva levava o retrato de seu herói desaparecido no fundo do mar ao defender a pátria: todos estavam furiosos com as autoridades, que no início tinham feito como se nada tivesse acontecido e, depois, tinham se revelado incapazes de qualquer ação de salvamento.

Eles estão sufocando lá dentro! Nossos rapazes estão morrendo asfixiados! Um único e mesmo grito de angústia se elevava das vísceras do povo russo. Ou era o que a televisão de Berezovsky dava a entender. E onde estava o Czar enquanto tudo isso acontecia? No Mar Negro, de férias! Fazendo esqui aquático! Um incapaz. Um monstro. Os comentaristas não perdoavam. Pela primeira vez, o distanciamento do Czar, que tanto contribuíra para sua popularidade, aparecia como um traço negativo, desumano.

Fui para Sóchi assim que pude. No início, também não era claro para mim por que Putin não correra até o lugar.

"O que quer que eu faça?", ele me perguntou. "Estão todos mortos, é evidente. Não podemos dizê-lo porque ainda não conseguimos chegar até eles, mas é claro que morreram. Todo esse circo de Berezovsky não passa disso: um circo."

Era verdade. Boris montara a tenda, colocara a lona e agora esperava Putin no picadeiro. O Czar, que não suportava a ideia de se encontrar na posição de fera a ser domada, não queria lhe dar aquele prazer. "Diga que não quero perturbar as operações de resgate", ele ordenara a seu porta-voz. E essa era a versão que éramos obrigados a repetir. Mas não funcionava; era um argumento racional em meio a uma explosão de histeria, seria possível que Putin não se desse conta?

Uma noite, devia ser o segundo ou terceiro dia depois do início da crise, estávamos assistindo ao jornal na televisão. O Czar fazia questão de assisti-lo em tempos normais, e, naqueles dias, ele não perdia um. Depois das habituais reportagens sobre a impotência da Marinha, a ausência de Putin, o espanto dos estrangeiros e o desespero das famílias, o apresentador se virou para a câmera: "Tendo em vista que as autoridades não fazem nada, a ORT decidiu organizar uma subscrição para as famílias dos marinheiros. Liguem para esse número se quiserem ajudar os pais dos heróis abandonados à própria sorte pelo Estado russo". Putin explodiu.

"Você viu, Vádia? Os mesmos que destruíram o Estado ao longo de dez anos, que roubaram tudo, que acabaram com o exército, agora têm coragem de organizar uma vaquinha para as famílias das vítimas! Uma vaquinha! Esses canalhas deveriam vender seus chalés em Saint-Moritz! Ligue para aquele filho da puta, no celular dele!"

Ele não precisou dizer a quem se referia. Por um momento, Berezovsky ouviu em silêncio o Czar vomitando sobre ele toda sua indignação. Eu podia imaginá-lo, escarrapachado numa poltrona à beira de sua piscina, com uma expressão de gato persa particularmente satisfeito. Então ele perguntou: "Mas, Volódia, só me diga uma coisa: por que você não está no Mar Negro? Você deveria estar no local, coordenando as operações. Ou no mínimo em Moscou".

Cego de raiva, o Czar respondeu sem pensar: "E por que você está na Côte d'Azur, Boris?

– Ora, Volódia, não sou o presidente, ninguém dá a mínima para onde estou!"

Ele estava certo. Mas como costuma acontecer, isso não melhorava as coisas para ele.

"Você se dá conta, Boris, que sua emissora está colocando no ar prostitutas pagas para se passarem pelas mulheres e irmãs dos marinheiros? A televisão estatal está armando um complô contra a presidência? Você perdeu a cabeça?"

Do outro lado, Berezovsky também se irritava. "Mas o que está dizendo, Volódia? Não são atrizes, são as esposas de verdade! Se tivesse ido vê-las, em vez de ouvir os agentes do FSB, saberia!"

A conversa continuou assim por algum tempo, até que Boris mudou de tom: se Putin fosse se encontrar com os pais dos marinheiros, a ORT garantiria uma cobertura favorável.

Para o Czar, a ideia de ter sua conduta ditada por Berezovsky era intolerável. Mas o que mais ele poderia fazer naquele momento? Era como se ele também estivesse preso naquele sarcófago de aço no fundo do mar. E a única pessoa capaz de trazê-lo à superfície era Boris.

Quando ele desligou, o rosto do Czar parecia uma máscara de cera.

"Vamos voltar para Moscou e organizar esse maldito encontro", ele disse, num murmúrio. "Depois, assim que sairmos dessa confusão, cuidaremos de seu amigo."

14

Entre os relatos do front escritos por Isaac Babel, há um que se intitula "Meu primeiro ganso". Ele conta a história do primeiro dia de um jovem judeu no Exército Vermelho durante a campanha de 1920. Assim que ele chega, seus companheiros de regimento, cossacos analfabetos, o tomam como alvo de chacota por causa de seus óculos e de seu ar de intelectual. Um deles se levanta em silêncio e atira seu baú no meio da rua, depois se vira e solta gritos indecentes. O que o jovem rapaz faz, então? Ele não choraminga nem protesta, vê um ganso passando tranquilamente e o agarra com um gesto rápido, esmaga sua cabeça com a bota, depois o empala com seu sabre e o leva para a cozinheira que não quisera lhe servir o jantar. "Asse-o para mim", ele lhe diz. A partir daquele momento, obviamente, os cossacos o acolhem como um igual. O pequeno judeu talvez usasse óculos, mas no fundo era um rapaz corajoso que sabia se fazer respeitar.

É isso. Berezovsky foi meu primeiro ganso. Eu vinha do teatro, meu pai era um intelectual e eu precisava fazer os cossacos entenderem que eu não era um inútil. Retirar-lhe a televisão foi a coisa mais fácil do mundo. Berezovsky não controlava a maioria das ações, somente 49%. O resto pertencia ao Estado. Só precisei ligar para o diretor-geral da ORT e lhe dizer que a partir de então ele receberia instruções do Kremlin, e não dos salões da casa Logovaz.

– Um gesto bastante duro.

– É como se diz: a piedade do carrasco está na precisão de seu gesto. É verdade que Boris não recebeu a novidade muito bem. De um dia para outro, os diretores de sua emissora pararam de atender a seus telefonemas. Seu jornalista preferido foi demitido na mesma hora. Até as garotas que animavam a *club-house* da Novokuznetskaya pararam de aparecer na programação. Berezovsky ficou doido. Ele começou a assediar todo mundo com invectivas furiosas. E como Putin não lhe respondia, ele ligava para mim para descarregar sua fúria, acusando-me de tudo, inclusive de coisas que eu não fizera.

Aquilo era normal. Qualquer um faria a mesma coisa em seu lugar. Mas Berezovsky não era qualquer um. E foi por isso que, em vez de aceitar a derrota, ele cometeu um erro fatal: convocou uma coletiva de imprensa para denunciar abusos de poder e o risco de uma virada autoritária na Rússia. Ele se apresentou às câmeras de televisão matraqueando sobre liberdade de imprensa e direitos violados como se fosse Soljenítsin, o escritor. Então as pessoas o viram pelo que ele era. Um empresário sem escrúpulos que se agarrava a seu poder, que se via comprometido pela ascensão do Czar.

Berezovsky era brilhante, mas não estudara história. Se tivesse estudado, teria entendido que, ao contrário das leis da natureza, as regras do poder mudam. A ascensão dos oligarcas ocorrera durante a espécie de entreato feudal que se seguira à queda do regime soviético. Boris e os outros tinham se tornado as colunas de um sistema no qual o poder do Kremlin dependia substancialmente deles, de seu dinheiro, de seus jornais, de sua televisão. Quando os oligarcas decidiriam apostar em Putin, eles acharam que mudariam de representante, não de sistema. Eles viram a eleição do Czar como um simples acontecimento, mas ela foi o início de uma nova era. Uma era em que seu papel estava fadado a ser revisto.

Quem conhece a Rússia sabe que, para nós, o poder está sujeito a periódicos movimentos telúricos. Antes que eles aconteçam, tentamos orientar seu curso. Mas depois que eles se produzem, todas as engrenagens da sociedade se reorganizam, segundo uma lógica tão silenciosa quanto implacável. Rebelar-se contra esses movimentos seria tão inútil quanto se opor à rotação da Terra em torno do Sol.

Não apenas Berezovsky como todos os oligarcas russos gostavam de se apresentar como os pilares da democracia e esperavam que as pessoas erguessem barricadas para defendê-los. Mas eles superestimavam sua popularidade. Nós, em contrapartida, a conhecíamos. Releia Aristóteles: o primeiro gesto do demagogo, chegando ao poder, é banir os oligarcas. As pessoas viam Boris e seus companheiros como aproveitadores que tinham monopolizado o imenso patrimônio da União Soviética com base na força, a marteladas. Depois de conquistarem suas montanhas de dinheiro, eles tinham tirado os coletes à prova de balas, vestido ternos sob medida e proclamado: chega de marteladas, agora seguimos o *fairplay* da Câmara dos Lordes. No fundo, era lógico que vários deles se exilassem em Londres. Foi para lá, aliás, que Berezovsky viajou quando finalmente entendeu o tamanho de seu erro de avaliação.

Pouco antes de sua partida, fui visitá-lo uma última vez, na casa Logovaz. O Czar me pedira para deixar bem claro que ainda o considerava um amigo. "Faça com que ele entenda que deve se manter longe da política de uma vez por todas", ele me dissera. "No que me diz respeito, se ele fizer isso, poderá permanecer tranquilamente em Moscou para gerenciar seus negócios. Mas se for para a política, sempre nos terá no caminho".

Há poucas coisas mais tristes do que templos de poder abandonados, onde os fantasmas do passado são mais fortes que os homens de carne e osso que insistem em habitá-los. Na casa Logovaz, vi-me diante de um Berezovsky já praticamente sozinho. Embora eu tivesse me esforçado para transmitir a mensagem do Czar em termos amigáveis, ele não a recebeu muito bem. No início, tentou se conter, mas quanto mais avançávamos na conversa, mais ele dava livre curso à raiva que acumulara nos últimos meses.

"Putin é um tchekista*, Vádia: do tipo mais feroz, aquele que não fuma nem bebe. São os piores, porque eles cultivam os vícios mais ocultos. Ele vai amordaçar a Rússia. Tudo o que fizemos nos últimos anos para nos tornarmos um país normal será varrido para longe. Até você, Vádia, cedo ou tarde. Na verdade, você já está na coleira, você é o cachorrinho do tchekista. Como seu pai, vê-se que tem a submissão no sangue. Aristocratas? Vocês são servos, todos vocês, há gerações!"

Suas palavras ricocheteavam em mim sem deixar marcas, como um riacho de montanha nas rochas. Eu pensava

---

* Referência à Tcheka, uma das primeiras organizações de polícia secreta da União Soviética, que tinha amplos poderes para reprimir e liquidar, quase sem qualquer limite legal, qualquer ato contrarrevolucionário ou desviante. [N.E.]

comigo mesmo que Custine lhe daria razão, pena que Boris nunca o tivesse lido, teria sido útil para ele. Ele continuava e se contradizia.

"Não vamos deixar vocês fazerem isso, Vádia. Há os europeus, os americanos. Os russos conheceram a democracia pela primeira vez. Uma guerra civil eclodirá..."

Ao ouvi-lo falar sobre guerra civil, devo confessar que senti vontade de rir: como disse o diplomata francês, a vantagem da guerra civil sobre o outro tipo de guerra é que podemos voltar para casa para jantar.

"Isso, pode rir, Vádia." Boris estava cada vez mais perturbado. "Vocês estão construindo um regime pior que a União Soviética. Na época, a ferocidade dos cães de guarda da KGB era ao menos controlada pelos homens do Partido. Agora o Partido não existe e os tchekistas tomaram o poder. Quem colocará um freio em suas arrogâncias, em suas invejas, em suas profundas imbecilidades? Você, Vádia? Um de seus amigos do teatro? A KGB sem Partido Comunista não passa de uma gangue de bandidos!"

Segurei-me para não lembrar Berezovsky de nosso primeiro encontro com Putin no Lubianka, da desenvoltura com que ele fora pescar o sucessor de Iéltsin nos meandros daquele sinistro calabouço. Seus insultos me deixavam indiferente, mas devo admitir que sua total má-fé começava a me dar nos nervos.

"Ainda bem que temos a mídia, a imprensa. Elas se acostumaram à liberdade e não aceitarão perdê-la sem mais nem menos, acredite.

– Por favor, Boris! Não era você que dizia que o jornalista se vende por alguns trocados? Que ele é um criado, que você o deixa se sentar a seu lado? Que você se dá ao trabalho de ler um ou dois de seus editoriais e ele fica na sua mão, com ares de importante como um velho pavão? Mas talvez eu me engane, Boris, não era você."

Eu não deveria ter dito nada, eu sei. Mas a paciência tem limites, não? Boris se calou de repente, como se tivesse visto um fantasma. Era seu reflexo: o espectro do Berezovsky do passado. Ele sabia, eu não precisava insistir naquilo.

Agora ele me observava com tristeza. Tornara-se um velho, subitamente. Sua temporada chegara ao fim e não seria renovada. Ele poderia ficar com seu dinheiro, isso sim. Ele se tornaria um daqueles homens ricos que fingimos escutar porque eles pagam a conta no fim do jantar, mas só por isso. Suas opiniões já não influenciam o curso dos acontecimentos.

"Bravo, Vádia, você se tornou um deles. Fez algumas gravações, para me derrubar? Mostrou-as ao Czar, como Sechin faria? Deu certo até agora; o único problema é que você não é e nunca será como eles." A voz de Berezovsky se transformara num silvo de ódio. "Eles são animais selvagens, Vádia. Eles vêm do nada, abrem caminho a golpes de machadinha, sem regras, sem limites. Eles têm fome, uma fome atávica. Eles foram humilhados, vêm de séculos de humilhação. Eles precisam pegar tudo, imediatamente, porque sabem que a maré vira. O que você pode saber sobre isso? Para gente como você a maré nunca vira.

– É possível, Boris, não sei. O que sei é que a Rússia sempre foi feita assim, a golpes de machado."

Berezovsky me dirigiu um meio sorriso. O número chegara ao fim, ele era o primeiro a saber. A única coisa que restava fazer era levantar e ir embora. Havia uma certa dignidade melancólica no velho ator obrigado a se despedir. Em todo caso, foi o que pensei naquela noite, ao sair pela última vez da casa Logovaz.

15

A política é um ofício estranho. Para fazer carreira, é preciso conhecer o território de perto. Interpretar as aspirações da dona de casa, do ferroviário, do comerciante. Mais tarde, quando chegamos ao topo, ela nos atira no palco global. De repente, os grandes do mundo se tornam nossos pares. E eles já formam um círculo, pois estão lá há algum tempo, e tiveram como conhecer uns aos outros, aprender os códigos básicos. Nós, em contrapartida, somos apenas iniciantes propulsionados ao palco para uma apresentação surpresa. Em nosso país, podemos ser respeitados ou temidos, mas ali somos os últimos a chegar. Precisamos recomeçar do zero, reaprender tudo, até a maneira de caminhar, de cumprimentar. As reuniões do G8, as assembleias da ONU, os fóruns de Davos: cada ocasião tem seus rituais. Os novos amigos se mostram afáveis, cada um parece disposto a nos ajudar. Mas não nos iludamos. Cada um tem um plano para acabar conosco.

Enquanto Berezovsky pegava um voo para Londres, nós tomávamos o sentido contrário: primeiro Tóquio, depois Nova York. No JFK, nosso embaixador nas Nações

Unidas nos recebeu à saída do avião com um pequeno cortejo de carros e SUVs pretos, precedidos por uma viatura policial. Fora do aeroporto, avançamos como tartarugas, paramos nos sinais vermelhos, às vezes uma sirene se fazia ouvir quando algum motorista distraído entrava no comboio. Não havia nenhum vestígio da supremacia hierática que distingue o poder em Moscou. No Waldorf Astoria, vimos que o hotel recebia várias outras delegações além da nossa. O protocolo do Kremlin reservara vinte quartos, mas acima de nós os sauditas ocupavam os três últimos andares com uma pompa imperial.

A semana na Assembleia Geral da ONU é uma orgia de poder, mas também um banho de humildade. Ali, os homens acostumados à satisfação imediata de seus desejos reaprendem as virtudes da espera: os cortejos de carros blindados e guarda-costas criam engarrafamentos intermináveis na Segunda Avenida, as delegações cheias de testosterona se acotovelam nos corredores lotados do Palácio de Vidro, os líderes de governo, acostumados aos salões dourados, se reúnem atrás de biombos provisórios para conduzir negociações importantíssimas. E no meio de tudo isso, obviamente, os americanos sempre encontram uma maneira de mostrar sua superioridade. Um dia, estávamos saindo do hotel para ir à CNN quando o agente do Secret Service designado para nossa delegação nos obrigou a parar. "É o Freeze", ele nos explicou: "quando o presidente dos Estados Unidos se desloca, ninguém pode dar um passo". Ainda lembro da expressão do Czar enquanto ele esperava na calçada que nosso comboio fosse autorizado a seguir em frente. Depois, quando chegamos ao estúdio da emissora, fomos recebidos por uma espécie de saltimbanco de rosto familiar. De camisa cor-de-rosa, suspensórios pretos. Ao lado de Larry King, o Czar parecia vestido para a primeira comunhão.

"Como é ser um espião? – o sujeito lhe perguntou durante o programa.

– Parecido com ser um jornalista – respondeu-lhe Putin. – Coletamos informações, fazemos uma síntese e a apresentamos à pessoa que a utiliza para tomar uma decisão.

– E o senhor gostava de fazer isso?

– Eu diria que sim, trabalhar no serviço de informação me permitiu ampliar minha visão de mundo e desenvolver certas qualidades no relacionamento com as pessoas. Aprendi a distinguir as prioridades das coisas menos importantes, e isso foi muito útil.

– Perfeito! Voltaremos com o presidente Putin no *Larry King Live* depois do intervalo, não vá embora!"

Na época, ainda levávamos tudo muito a sério, mas Nova York é um parque de diversões tão grande que nos deixamos levar. Sempre tive a impressão de que Manhattan era o tabuleiro de um jogo, nos quais os participantes vão e vêm de metrô, táxis amarelos e *towncars* pretos, dependendo da posição a que chegaram. Cidade desprovida de sensatez, devotada à repetição infinita, mas cheia de energia. Nosso cortejo não tinha a majestade moscovita, mas ainda tinha sua altivez. Frequentávamos vernissages de exposições e jantares de gala. E em toda parte éramos recebidos pela expansiva cordialidade americana, sob a qual quase sempre se percebe um toque de condescendência.

A reunião de cúpula com Clinton aconteceu mais ou menos da mesma maneira. O presidente fez a gentileza de vir a nosso encontro no Waldorf Astoria. Ele se apresentou com aquele ar de veterano experiente, com seu lendário cumprimento, em que envolvia a nossa mão com ambas as suas juntas, como uma jiboia, a voz rouca e o sorriso de um fazendeiro do Midwest que, quando chega a noite, conta histórias de sua vida diante do fogo. Mas sabíamos que por trás daquela aparência rústica se escondia uma máquina sofisticada e implacável. Clinton, o talentoso aluno de Yale e Oxford, Clinton, o mais jovem governador dos Estados Unidos, Clinton, o animal político que sobrevive a todos os escândalos e sempre acaba vencendo seus adversários. Acima de tudo, Clinton, o presidente que comandara com mão de ferro o desmantelamento do império soviético, tomando metade da Europa sem nunca conceder coisa alguma, levando a Otan até quase nossas fronteiras e deixando os abutres desmembrarem, pedaço por pedaço, o que ainda restava de nosso sistema produtivo.

No entanto, Clinton cometeu um erro já na primeira troca. Ele pediu ao Czar notícias de Iéltsin, seu velho amigo Boris. E não se deu conta de que, ao fazer isso, reativava a lembrança de uma humilhação que nenhum de nós jamais poderia digerir. Como eu lhe disse, os russos têm o hábito do sacrifício, mas também do respeito. Em toda a nossa história, nossos soberanos sempre foram tratados como grandes desse mundo e ninguém jamais se valeu de alguma superioridade sobre eles. Quando Roosevelt se encontrava com Stálin ou, nas décadas seguintes, Nixon com Brejnev e Reagan com Gorbatchov, duas grandes potências se confrontavam e ninguém jamais teria pensado o contrário. Depois da queda do muro, tudo se tornou mais difícil para nós. Ainda assim, as formas, o respeito às formas, poderiam nos salvar. Mas Iéltsin caiu na armadilha do calor clintoniano, convenceu-se de ter encontrado um amigo. Ou um aliado disposto a ajudá-lo a reerguer a Rússia. Ele baixou a guarda. E de apertos de mão a tapinhas nas costas, ele escorregou até o quadro terrível que se imprimiu na retina de todos os russos como uma marca de infâmia.

Tente imaginar a cena: um dia de outono, também em Nova York. O presidente americano e o presidente russo firmam um acordo bilateral na biblioteca Franklin D. Roosevelt e saem para uma declaração à imprensa. Colunas neoclássicas, bandeiras, guarda presidencial em uniforme de gala e, sob a tribuna, duas abóboras em homenagem à festa bárbara que, como sempre, os americanos conseguiram infligir ao resto do mundo. Clinton toma brevemente a palavra e a cede a Iéltsin, que começa a se dirigir aos presentes, visivelmente não de todo sóbrio. Enquanto a voz de nosso presidente se faz ouvir, Clinton cai na gargalhada. É inabitual, mas nada grave, até o homem mais poderoso do mundo às vezes ri. O problema é que Clinton não para. Ele não consegue parar: o velho urso, titubeante, ridículo, o faz literalmente morrer de rir. Clinton fica com lágrimas nos olhos, o rosto vermelho, está no meio de um ataque de riso. Pregados na frente da televisão, os russos mentalmente imploram que pare. Conhecemos Iéltsin, seus hábitos, suas fraquezas. Mas ele é o presidente da Federação Russa, diabos, o maior Estado do planeta, uma superpotência nuclear! Nada, Clinton não consegue se controlar. Agora ele também cambaleia, dá grandes tapas nos ombros de Iéltsin, que, embora embriagado, parece levemente incomodado. Uma nação inteira, 150 milhões de russos, sente vergonha do ataque de riso do presidente americano.

Foi essa a cena que veio à mente do Czar quando Clinton lhe pediu notícias do velho Boris. Então o Czar fez com que Clinton entendesse imediatamente que com ele seria diferente. Nada de tapinhas nas costas e longas gargalhadas. Clinton ficou decepcionado, é claro. Ele pensava que dali por diante os presidentes russos não seriam mais que valorosos porteiros, guardiões dos maiores recursos de gás do planeta para as multinacionais americanas. Pela primeira vez, ele e seus conselheiros foram embora um pouco menos sorridentes do que ao chegar. O que eles esperavam?

"Se os canibais tomassem o poder em Moscou", desabafou o Czar no voo de volta, "os Estados Unidos os reconheceriam imediatamente como governo legítimo, desde que seus próprios interesses não fossem prejudicados e eles continuassem a ser tratados como patrões. O problema é que eles pensam que ganharam a Guerra Fria, entende? Mas a União Soviética não a perdeu. A Guerra Fria acabou porque o povo russo pôs fim a um regime que o oprimia. Não fomos vencidos, fomos libertados de uma ditadura. Não é a mesma coisa. Os ocidentais também contribuíram para a democratização do Leste Europeu, mas eles não deveriam esquecer que a maior contribuição foi dada pelos russos. Nós é que derrubamos o muro de Berlim, não eles. Nós é que dissolvemos o Pacto de Varsóvia, nós que estendemos a mão para eles em sinal de paz, não de rendição. Seria bom que eles se lembrassem disso, de vez em quando."

16

Quando voltei dos Estados Unidos, decidi tirar uma noite de folga. Na época eu não tinha muito tempo livre, mas às vezes ainda frequentava o meio artístico moscovita, que eu deixara quando começara a trabalhar para o Czar. Por mais irritantes que fossem os tiques nervosos com que os artistas tentavam se dar importância, sua alegria exagerada constituía um descanso bem-vindo quando comparado à ávida e constante vigilância de meus colegas do Kremlin. Havia entre aqueles artistas um personagem que exibia todos os trejeitos do grande escritor, apesar de nunca ter se dado ao trabalho de produzir uma grande obra. Limonov, ele se chamava Eduard Limonov. Depois de passar vários anos na América e em Paris, Limonov voltara a Moscou com ideias combativas. Ele cultivava pelo Ocidente um ressentimento feroz, alimentado por humilhações, principalmente de caráter financeiro, sofridas durante sua prolongada estada em algumas regiões. No início dos anos 1990, ele criara o Partido Nacional-Bolchevique. Não entendíamos se era uma operação política ou uma performance artística, mas o que transparecia claramente, a partir daquele nome, era o desejo de criar o máximo possível de caos. Tendo se livrado havia muito tempo de todas as tediosas vantagens da respeitabilidade que ainda aprisionavam pessoas como eu, Eduard obtivera, em troca, o acesso a uma gama infinita de prazeres mais intensos, que ele compartilhava com seus próximos com a generosidade de um paxá do Oriente Médio. Ele estava sempre cercado por um bando de personagens improváveis que ele chamava de "minha vanguarda revolucionária".

"Você pode rir, Vádia, mas estou criando um exército", ele repetia. "O problema não são os soldados, esses não são difíceis de encontrar: as pessoas estão desesperadas. O problema são os comissários do povo, pessoas capazes de fazer propaganda, de tomar a palavra diante das massas. Nesse estágio da luta, eles são uma arma estratégica, os propagadores da ideologia, os multiplicadores da revolução nacional-bolchevique. Mas não se preocupe, Vádia, quando tomarmos o poder, você poderá continuar em seu gabinetezinho no Kremlin: um honesto profissional da propaganda sempre pode ser útil..."

Naquela noite, Eduard marcara um encontro comigo no 317, um falso pub irlandês perto da Casa Branca, que ele transformara em quartel-general. Para chegar até lá, era preciso abrir caminho entre dezenas de motos estacionadas na rua. Uma vez dentro do pub, nos víamos mergulhados num cenário à la *Mad Max*, em que motociclistas neofascistas cruzavam com intelectuais anarquistas, punks e as raras representantes do sexo feminino que ousavam se aventurar naquele lugar.

Quando cheguei, Limonov já estava sentado num canto, com uma garrafa de vodca pela metade em cima da mesa: a noite prometia.

"Sabe qual foi o começo do fim, Vádia? – Eduard gostava de aberturas teatrais.

– Não, Eduard, mas por favor me diga.

– Richelieu, Vádia. O cardeal de *Os três mosqueteiros* existiu mesmo, sabe.

– Sim, Eduard, lembre-se de que não está falando com um de seus skinheads desmiolados.

– Sim, está bem, enfim, em todo caso foi ele que proibiu os duelos. Ele criou uma lei para impedir que dois homens adultos se desafiassem a golpes de espada, você se dá conta? O homem ocidental nunca se recuperou disso. Daí até a licença-paternidade foi um passo."

Limonov considerava a licença-paternidade, recentemente introduzida em alguns países europeus, o cúmulo da abjeção, o símbolo de uma desoladora vida de animal doméstico.

"Eles assistem televisão, estacionam seus carros, se dedicam a um trabalho pouco exigente e perfeitamente tedioso; algumas décadas assim, um ou dois empréstimos, férias à beira-mar e a vida chega ao fim, antes mesmo que eles percebam, uma vida inteiramente desperdiçada, o único crime realmente imperdoável."

Eu tinha ouvido várias vezes os argumentos de Eduard, os mesmos que ele repetia em seus livros, em suas entrevistas, em seus discursos aos membros de sua vanguarda revolucionária. Naquela noite, porém, ele estava curioso e queria saber de nossa viagem a Nova York, sobre a qual lera alguns relatos nos jornais.

"Como foi o passeio?"

Tentei evitar a conversa, pois não tinha muita vontade de discutir política internacional com Eduard. "Ah! Você conhece aquele lugar. Bastante divertido, eu diria.

– Nova York é divertida. Basta evitar os americanos."

Caí na gargalhada, mas como sempre ele estava falando sério. Embora emendasse um paradoxo a outro, Limonov nunca brincava, era uma característica sua.

"Você já foi num daqueles jantares? Todos os homens estudaram em Princeton ou Yale, todas as mulheres em Vassar ou Brown. Todos têm filhos da mesma idade, que frequentam as mesmas escolas. Os homens trabalham num banco *downtown*, as mulheres fazem compras na Barney's. Todos têm uma casa de verão nos Hamptons e uma de inverno em Palm Beach. Se você acabar numa mesa dessas, a única opção razoável é o cianeto. Quando eu era mais jovem, ao menos podia traçar uma daquelas esposas loiras no banheiro. Mas agora só me resta o cianeto. Ainda bem que já não sou convidado para esses jantares.

– O que fazer, meu velho, é o discreto charme da burguesia. O mesmo em qualquer lugar.

– Não, Vádia, a América destruiu a burguesia."

O ideólogo-chefe do Partido Nacional-Bolchevique de repente fez uma careta de profunda tristeza, para deplorar o desaparecimento da burguesia anglo-saxã.

"A burguesia ao menos tinha valores, essas pessoas só acreditam em números. O engraçado é que elas não conhecem umas às outras, pois são fruto de uma loteria que se renova a cada geração: inteligentes, ambiciosas, afiliadas ao culto do trabalho e da informação exata, mais tediosas que ratos mortos. O problema não é o imperialismo dos Estados Unidos. Não estou zangado com eles por causa de Allende e de bobagens do tipo. O exercício de um poder, mesmo violento, faz parte da natureza de qualquer império e, no fim das contas, eles não são piores do que os que vieram antes deles, inclusive nossos czarevichs brancos ou vermelhos. O problema é o conteúdo da cultura americana.

Uma des-civilização que tornou impossível a verdadeira grandeza de garantir um McLanche Feliz a todo mundo."

Eduard parou de falar por um momento para devorar o hambúrguer que pedira, sem que isso parecesse perturbar minimamente seu argumento.

"O interessante é que pessoas como você pensam que se trata de um modelo a ser seguido. Mas na verdade os americanos são zumbis; não existe pecado maior do que desperdiçar a própria vida, Vádia. Eles não são sequer visitados pela ideia de que o objetivo da existência humana possa ser não viver o mais confortavelmente possível ou o máximo possível. Quando vi que Iéltsin seguia esse caminho e que queria transformar a Rússia numa sucursal *low cost* do hospício americano, decidi fundar o Partido Nacional-Bolchevique. E sabe por que o chamei assim? Para deixá-los furiosos, para concentrar num único nome tudo o que vocês consideram o mal, todas as ideias que ameaçam o pequeno consumidor satisfeito a que vocês reduziram o homem.

– '*As paixões fazem o homem viver, a sabedoria o faz apenas durar*'."

Limonov me olhou atravessado. Ele não gostava de ser interrompido, muito menos por velhas citações que banalizavam suas iluminações.

"Exatamente isso", ele continuou. "No Partido Nacional-Bolchevique, reunimos ex-stalinistas e ex-trotskistas, homossexuais e skinheads, anarquistas, punks, artistas conceituais e fanáticos religiosos, budistas e ortodoxos. Quando organizamos nosso primeiro congresso, o mais complicado foi arrumar a sala de maneira a que eles não se matassem. Quando penso, ainda não sei como fizemos..."

Eduard caiu na gargalhada. Depois, com o auxílio de um boa dose de vodca, recuperou a seriedade.

"Não é a ideologia que os mantém unidos, Vádia, é o estilo de vida. Você acha que, para eles, o programa interessa alguma coisa? O que os jovens querem é fugir da banalidade, do tédio. A centelha de heroísmo em cada um está à espera de ser alimentada. A Terceira Roma, a Rússia Imperial, Stalingrado, tanto faz! O importante é apelar para algo grande. Se quiser continuar vivo, cada povo precisa acreditar que nele reside a salvação do mundo, que ele existe para estar à frente das outras nações! Os ocidentais querem nos ver de joelhos. Eles adoraram Gorbatchov e Iéltsin. Eles vão fingir adorá-los também, Vádia, enquanto vocês se comportarem como criados. Enquanto isso, eles levam as sobras."

Naquela noite, abstive-me de dizer a Limonov que suas elucubrações coincidiam, ao menos em parte, com nossa experiência. Francamente, aquilo me preocupava. Eu sempre considerara Eduard um sociopata brilhante, completamente desprovido de senso político. Ele martelava as mesmas ideias havia vários anos, sob o olhar zombeteiro de seus amigos. Chocar a burguesia, chamar a atenção, arregalar os olhos das garotas bonitas, que nunca faltavam em seu círculo, esse nos parecia o único objetivo de suas declarações. Agora eu começava a ver um sentido diferente em suas revoadas líricas. Eu não chegaria ao ponto de lhe dar razão, absolutamente. Mas pela primeira vez eu via seus argumentos pelo que eles eram. Não o fruto de uma análise rigorosa, mas uma intuição a não ser tratada com leviandade, apesar das fanfarrices de Limonov. Talvez a imitação desenfreada do Ocidente, em que tínhamos nos lançado no final dos anos 1980, não fosse o caminho certo. Talvez tivesse chegado o momento de seguir outra via.

17

Era a hora da noite em que a morte entrava no mundo e, enquanto eu percorria os longos corredores brancos do Kremlin, eu tinha a impressão de estar no único lugar de toda a Rússia que não estava mergulhado na escuridão. O Palácio do Senado, onde fica o gabinete de Putin, não tem a importância gélida do palácio dos czares. Aqui, o poder não se dispersa ao refletir nos espelhos de salões inúteis, ele se concentra e age. Fora por isso que Lênin fizera dele a sede de seu governo. Desde então, era naquelas pequenas salas, mobiliadas com um gosto sumário, que o destino do maior país do mundo era decidido. Chegando à antecâmara do presidente, dirigi o habitual cumprimento mudo aos retratos dos czares que ornavam as paredes e à estátua do samurai japonês que Putin escolhera acrescentar aos jovens de carne e osso de sua guarda. O chefe do secretariado particular me fez sinal para entrar, o presidente me esperava. Entrei em seu gabinete e o encontrei sentado à mesa de trabalho, não no divã que ele costumava escolher para nossas conversas privadas. Péssimo sinal. Pela primeira vez, o grande lustre de bronze estava apagado. Somente o pequeno abajur iluminava a escrivaninha do

Czar, criando uma atmosfera de recolhimento estudioso. Instalei-me numa das duas poltronas, incômodas, que ficavam à frente de Putin.

O Czar lia um documento e ficou em silêncio por alguns minutos. Sem tirar os olhos da folha que tinha à sua frente, ele disse: "Em quanto está meu índice de popularidade, Vádia?

– Por volta de sessenta por cento, presidente.

– Bom. E sabe quem está acima de mim?

– Ninguém, presidente. O concorrente mais próximo tem doze por cento.

– Não é verdade. Abra os olhos, Vádia, há um líder russo que é mais popular do que eu."

Não entendi aonde ele queria chegar.

"Stálin. O Pequeno Pai é, hoje, mais popular do que eu. Se nos enfrentássemos nas eleições, ele acabaria comigo!"

O rosto do Czar adquirira a consistência mineral que eu aprendera a reconhecer. Abstive-me de tecer qualquer comentário.

"Vocês, os intelectuais, estão convencidos de que isso acontece porque as pessoas esqueceram. Para vocês, elas já não se lembram dos expurgos, dos massacres. Por isso vocês continuam publicando artigo após artigo, livro após livro, sobre 1937, sobre os gulags, sobre as vítimas do stalinismo. Vocês pensam que Stálin é popular apesar dos massacres. Mas vocês se enganam, ele é popular *por causa* dos massacres. Porque ele ao menos sabia como tratar os ladrões e os traidores."

O Czar fez uma pausa.

"Sabe o que Stálin fez quando os trens soviéticos começaram a sofrer uma série de acidentes?

– Não.

– Ele pegou Van Meck, o diretor das estradas de ferro, e mandou fuzilá-lo por sabotagem. Isso não resolveu o problema das ferrovias, na verdade eles até pioraram. Mas ele criou uma válvula de escape para a raiva. A mesma coisa acontecia sempre que o sistema não estava à altura. Quando faltou carne, Stálin mandou prender o comissário do povo para a Agricultura, Tchernov, enviou-o ao tribunal, e o sujeito, como que por magia, confessou ter mandado abater milhares de vacas e porcos para desestabilizar o regime e fomentar uma revolta. Depois houve a penúria de ovos e manteiga. Então ele prendeu Zelenski, o chefe da Comissão do Plano, e este, pouco depois, admitiu ter espalhado pregos e vidro esmagado nas reservas de manteiga e confessou ter destruído cinquenta caminhões de ovos. Uma onda de indignação mesclada de alívio atravessou o país: tudo se explicava! A sabotagem é uma explicação muito mais convincente do que a ineficácia, Vádia. Quando o culpado é descoberto, ele é punido. A justiça é feita, alguém paga por ela e a ordem é restabelecida. Esse ponto é fundamental."

O Czar fez outra pausa, que em circunstâncias diferentes eu não hesitaria em definir como teatral. Depois ele continuou, em tom neutro: "Ordenei que seu amigo Khodorkovski seja preso amanhã. Enviaremos a televisão também, todo mundo precisa ver que ninguém está acima da sacrossanta cólera do povo russo".

Fiquei abismado. Ao longo dos últimos anos, Mikhail se tornara o empresário mais rico do país, não necessariamente mais honesto que os outros, com uma cara de bom garoto que se apresentava como um nerd do Vale do Silício – camisetas, óculos, fundações filantrópicas e grandes discursos sempre cheios de nobres ideais. Os jornais e televisões de vocês o adoravam, transformavam-no numa espécie de ícone do novo capitalismo russo. A ideia de colocá-lo na prisão como um criminoso qualquer era praticamente inconcebível. Mas é verdade que o Czar não teria chegado aonde chegou permanecendo no âmbito do concebível.

Não duvidei por um instante sequer da natureza irrevogável da medida. O homem que me encarava do outro lado da escrivaninha não pedira minha opinião, ele me comunicara uma decisão. Caberia a mim gerir suas consequências. A mídia, inclusive a russa, faria um escândalo. Poderíamos minimizá-lo, apresentar a decisão como uma espécie de decreto administrativo, mas isso não mudaria muita coisa. Naquela altura, melhor entrar com tudo. Se Mikhail precisava se tornar a válvula de escape da cólera do povo russo, sua humilhação precisava ser completa. Seria o fim das fotografias do *golden boy* das finanças, benfeitor sorridente dos órfãos e das viúvas. Eu faria com que, a partir daquele momento, as únicas imagens em circulação mostrassem Khodorkovski com roupas de prisioneiro atrás das grades. A mensagem precisava ser clara: da capa da *Forbes* à cadeia há apenas um passo, se o Czar assim decidisse. A degradação pública de Mikhail se tornaria um aviso para os outros oligarcas e um espetáculo servido de aperitivo à raiva do bom povo russo.

O senhor talvez pense que me envolvi emocionalmente na coisa, que senti prazer em humilhar meu velho rival, mas posso lhe garantir que não. A pessoa que tenta se vingar de um dano sofrido se condena a permanecer seu refém. Eu me libertara de Mikhail e Ksenia havia muito tempo, tanto que a notícia do casamento deles não abalara minha indiferença. Ser obrigado a voltar ao assunto não foi agradável, mas me opor não faria sentido algum. Não há nada mais difícil que tomar uma decisão, mas depois que ela foi tomada é preciso esquecer tudo, menos o que pode concretizá-la.

Khodorkovski foi preso ao amanhecer, assim que seu jato tocou a pista da cidade siberiana aonde ele fora concluir algum negócio. As imagens do bilionário algemado, escoltado por soldados das tropas especiais, percorreram o mundo. E tiveram o efeito imediato de lembrar às pessoas que o dinheiro não protege de tudo. Para vocês, ocidentais, esse é um tabu absoluto. Um político preso, por que não, mas um bilionário, isso seria inimaginável, porque a sociedade de vocês está fundada no princípio de que não existe nada superior ao dinheiro. O engraçado é que vocês continuam a chamar os nossos de "oligarcas", embora os verdadeiros oligarcas só existam no Ocidente. É no Ocidente que os bilionários estão acima das leis e do povo, que eles compram os que governam e escrevem as leis em seu lugar. Para vocês, a imagem de um Bill Gates, de um Murdoch ou de um Zuckerberg algemado é totalmente inconcebível. Na Rússia, ao contrário, um bilionário está totalmente livre para gastar seu dinheiro, mas não para influenciar o poder político. A vontade do povo russo – e a do Czar, que é sua personificação – prevalece sobre o interesse privado, qualquer que ele seja.

A seis semanas da eleição, a prisão de Khodorkovski se tornou o manifesto da não-campanha do Czar para as eleições daquele ano. Limitei-me a transpor a queda de Mikhail para um formato televisivo de sucesso. Não foi difícil, pois a cabeça de um poderoso rolando pelo chão sempre foi um dos espetáculos mais apreciados pelas massas. A aniquilação de alguém importante consola a multidão de sua mediocridade. Talvez eu não tenha dado muito certo, pensa o joão-ninguém com seus botões, mas ao menos não fui para a forca. Em todas as épocas, as execuções públicas foram um divertimento apreciado. Na primeira vez que a guilhotina foi usada, as crônicas da Revolução Francesa contam que os parisienses se queixavam de não enxergar direito e gritavam "devolvam-nos nossas forquilhas". Mas quando eles se deram conta de sua eficácia e do terror suplementar que despertava nos condenados, eles começaram a tomar gosto pela nova tecnologia. Sejamos francos: não existe ditador mais sanguinário que o povo; somente a mão severa, porém justa, do líder consegue moderar seu furor.

Nos primeiros dias de dezembro, as eleições foram um triunfo. No dia seguinte à votação, o Czar confessou à televisão que tinha passado a noite em claro. Não para seguir os resultados, a respeito dos quais não nutria nenhuma preocupação, mas porque sua labrador Koni tivera a primeira ninhada. Eu não tinha nenhum cachorro, por isso na noite da eleição me vi sozinho em casa, com uma garrafa de vodca e uma pilha de livros de história. Depois da última conversa com o Czar, comecei a ver meu papel de maneira diferente. Mergulhando nos anais dos processos stalinistas dos anos 1930, percebi que eles já eram, no fundo, megaproduções hollywoodianas: a via soviética do show business. O procurador e os juízes trabalhavam por meses a fio no roteiro que os acusados eram chamados a interpretar, encorajados pelos vários modos de pressão de que os produtores do filme dispunham. Havia aquele que tinha uma família a proteger, aquele que tinha um segredo a esconder, aquele que era muito sensível a ameaças e à dor física. No fim, todos aceitavam desempenhar seu papel e o espetáculo podia começar.

Nenhum detalhe escapava à atenção dos produtores, a mistura de realidade e ficção precisava ser irrepreensível. O público, que era admitido na sala para acompanhar o processo – e sobretudo os milhões de pessoas que o faziam de casa, pela rádio e pelo *Pravda* – sentia as mesmas emoções despertadas por um filme da Metro Goldwyn Mayer. Apreensão, angústia, horror diante do Mal. Depois, a serenidade profunda decorrente da resolução do conflito e do triunfo do Bem. Não há limites para a capacidade criadora de um poder disposto a agir com a necessária determinação, desde que ele respeite as regras fundamentais de cada construção narrativa. O limite não está no respeito à verdade, mas no respeito à ficção. O motor primordial que é preciso levar em conta continua sendo a raiva. Vocês, ocidentais sensatos, acreditam que ela pode ser reabsorvida. Que o crescimento econômico, o progresso da tecnologia e, sei lá, as entregas a domicílio e o turismo de massa farão a raiva do povo desaparecer, a surda e sacrossanta raiva do povo, que mergulha suas raízes na própria origem da humanidade. Não é verdade: sempre haverá decepcionados, frustrados, perdedores, em todas as épocas e sob qualquer regime. Stálin havia entendido que a raiva é um dado estrutural. Dependendo do período, ela diminui ou aumenta, mas nunca desaparece. Ela é uma das correntes profundas que regem a sociedade. A questão, portanto, não é tentar combatê-la, mas gerenciá-la: para que ela não saia de seu leito e destrua tudo ao passar, é preciso prever constantes canais de escoamento. Situações nas quais a raiva possa ter livre curso sem colocar o sistema em perigo. Reprimir a dissidência é algo grosseiro. Gerir o fluxo de raiva, evitando que ela se acumule, é mais complicado, mas muito mais eficaz. Por vários anos, meu trabalho, no fundo, foi exatamente este.

18

Depois da prisão de Khodorkovski e da triunfal reeleição de Putin, algo mudou na natureza do governo russo. A luta pelo poder não se interrompeu, muito pelo contrário. Mas ela se deslocou da arena pública para a antessala do Czar. A partir daquele momento, a Corte voltou a determinar o destino do Estado. E a fronte do soberano, como nos tempos de Nicolau I, voltou a ser a única fonte de todas as alegrias e de todas as dores dos cortesãos.

Se alguma vez o senhor tiver a ocasião, observe os leões e os macacos no zoológico. Quando eles brincam, significa que as hierarquias estão claras e que o líder tem tudo sob controle. Caso contrário, cada um fica em seu canto, inquieto e amedrontado. Com o restabelecimento da vertical do poder, Putin deu o tom ao baile dos cortesãos: um exercício de sagacidade cujas regras remontam aos primórdios da humanidade e cujo ritmo é determinado pelos movimentos ascendentes e descendentes dos participantes. Há os que ocupam um gabinete próximo ao do Czar e os que estão em sua linha telefônica direta. Há os que o acompanham em missões ao exterior e os que saem de férias a Sóchi com ele. Há os que conseguem um lugar no governo e os que não são reempossados na direção de uma empresa pública. Nenhum indício, por menor que seja, pode ser negligenciado: a disposição dos lugares num jantar de gala, o tempo de espera na antessala do presidente, o número de agentes de segurança. O poder é feito de minúcias. Nada escapa ao interesse obsessivo do cortesão porque ele sabe que a essência da hierarquia reside no detalhe. E que mesmo uma minúscula perda de controle pode abrir uma fissura no edifício. Somente o diletante negligencia esses aspectos, considerando-os indignos de sua atenção; o profissional sabe que nenhum detalhe é pequeno demais para merecer sua atenção.

As torres do Kremlin são numerosas, as oscilações são constantes, e quem quiser participar ativamente precisa ter a capacidade de medi-las com a precisão de um sismógrafo do Instituto de Geofísica de Moscou. Atividade extenuante que exige uma prática ininterrupta; qualquer encontro, público ou privado, serve para sentir o pulso da situação, verificar se o equilíbrio de forças permanece intacto. O senhor conhece os gráficos de cotação da Bolsa, que passam continuamente nas salas de negociação? A Corte é parecida. Só que em vez de aparecer em telas, as cotações passam pela fronte e pelos lábios dos cortesãos. Cada jantar, cada conversa, se torna um balanço da Bolsa: quem sobe, quem cai. Qualquer investidor, por menos sério que seja, sabe que o Kremlin não torna ninguém feliz, mas torna impossível sê-lo em outro lugar.

De minha parte, não posso negar que entrei no novo regime com a naturalidade de quem tinha no sangue no mínimo três séculos de mesuras e reverências. Mas preciso admitir que outros, que não dispunham de tal patrimônio genético, logo me deixaram para trás. Como Sechin, o secretário de Putin. Eu já lhe falei de Sechin, o homem que abria portas, passava telefonemas. Como muitos de seu tipo, ele por muito tempo tirou sua força do fato de ser subestimado. As pessoas o viam ali, com uma pasta na mão, os olhos baixos na presença do Czar, e o tomavam por uma espécie de datilógrafo e mordomo. Em quatro anos de Kremlin, ele se tornou o modelo do cortesão, seguro de si, dominador; o mundo lhe pertencia quando o chefe não estava nas proximidades. Bastava que este lhe lançasse um olhar para que ele voltasse a ser uma ovelha trêmula.

Nos voos oficiais, quando todos tiravam o paletó para ficar mais à vontade, ele ficava de gravata, em sinal de respeito ao Czar. Antes de conhecer Putin, ele trabalhara para a KGB em Moçambique. Só Deus sabe o que fazia por lá, aonde voltava de tempos em tempos. Para ele, desembarcar de um Antonov numa pista africana, com uma escolta de soldados das tropas especiais e uma mensagem a entregar ao ditador local da parte do Czar era um tipo de férias. Durante o dia, os tiros de morteiro ritmavam a passagem das horas. À noite, jantava-se à beira de uma piscina enquanto uma orquestra tocava uma música de baile. Como ir a Capri ou Saint-Tropez para uma pessoa normal.

Sua visão da natureza humana era tão primitiva que os homens mais sofisticados tinham dificuldade de entendê-la. "As coisas são mais complicadas", eles diziam. "Uma ova", respondia Sechin. E os fatos quase sempre lhe davam razão.

Um dia, descobri que ele tinha um diploma em filologia e tive a absurda ideia de que podíamos ter alguns interesses em comum. À primeira ocasião, tentei perguntar quem eram seus autores preferidos. Estávamos em seu gabinete: "Não leio um livro desde que recebi meu diploma", ele me respondeu, numa voz monocórdia. “A não ser este”, e fez um gesto para indicar a pilha de relatórios administrativos, sem cabeçalho, redigidos pelos serviços secretos.

Em todas as transações, há tarefas que ninguém quer realizar mas das quais todos precisam; aí entrava Sechin. Com Khodorkovski na prisão, surgia o problema de o que fazer com sua empresa, a Yukos. Os liberais do governo queriam deixá-la para Mikhail, mas estava claro que o Czar não tinha a intenção de apenas punir um indivíduo, ele queria desmantelar um sistema. Além disso, a Yukos era a maior empresa russa. A mais admirada. A mais rica. Um butim de guerra capaz de despertar os apetites das feras mais selvagens do Kremlin.

Sechin a papou de uma só vez. Depois de um sequestro judiciário e um leilão público com um único participante, a Yukos acabou nas mãos de um conglomerado público do qual Igor fora nomeado presidente alguns meses antes. Os jornais ocidentais denunciaram o escândalo e o chamaram de roubo. Mas a história é um pouco mais complicada. Sechin é um *siloviki*, um “homem de força” dos serviços secretos. Eles sempre foram essenciais na Rússia: militares, espiões, policiais. Graças a sua proximidade com o Czar, Sechin se tornou uma referência para esses homens. Claro que vocês, ocidentais, em sua hipocrisia, pensam que a força é uma coisa um tanto arcaica. Vocês acreditam em regras, com advogados trocando e-mails certificados e encontrando soluções em troca de milhões de dólares de honorários. Vocês adoram as conferências de Davos e os estudos da OCDE, as grandes estrelas que constroem arranha-céus em Roterdã ou Pequim e os líderes que abrem bistrôs gastronômicos em Bali ou Zermatt. A ideia de uma gravata os deixa desconfortáveis, ela se tornou a marca do subalterno, do recepcionista de hotel, do funcionário da agência de locação de veículos. O que dizer do uniforme do militar ou do policial: uma relíquia de museu, para crianças em excursão escolar.

Mas eu era como vocês. Tinha passado tempo demais folheando revistas e bebericando capuccinos. O desmembramento da Yukos me pareceu uma operação bárbara, o retorno de velhos hábitos que tínhamos tentado deixar para trás. Deus sabe que eu não sentia nenhuma simpatia por Khodorkovski, mas a ideia de sua substituição por um tchekista me dava calafrios.

Uma noite, Putin me chamou a seu gabinete. Era um dia crucial, em que era preciso tomar uma decisão sobre o destino da empresa. O Czar tinha acabado de chegar de uma reunião de cúpula internacional, estava tão agitado e cansado que não conseguia se sentar, percorria nervosamente a sala. "É sempre a mesma história. Sou tratado como se fosse o presidente da Finlândia. Pior ainda, porque para eles a Finlândia é um país civilizado, enquanto que nós somos a Rússia selvagem, uma espécie de mendigo bêbado rondando na porta. Talvez eles tenham razão. Fomos os primeiros a nos comportar como mendigos, com um sorriso para todos e o prato de esmolas bem à vista."

O Czar ficou em silêncio por alguns instantes, depois continuou, num tom mais baixo.

"Lembro dos mendigos de minha época de menino em Leningrado. As crianças do bairro chutavam os mendigos. Quanto mais eles gritavam, mais elas chutavam. Por nada, só para se divertir. Todos menos um. Ele não era grande, estava bastante prejudicado, acho que se chamava Stepan. Sabe o que tinha de diferente? Ele era louco, completamente imprevisível. Você se aproximava, só para dizer bom-dia, e ele era capaz de quebrar uma garrafa na sua cabeça, sem mais nem menos, por motivo algum. Contavam-se estranhas histórias sobre ele, as pessoas diziam que ele tinha poderes, que fizera algumas pessoas desaparecerem. Nós o víamos de longe, e, quando ele começava a sorrir, sentíamos mais medo do que quando ele gritava. Fugíamos a toda velocidade, os fortões do bairro atravessavam a rua para não cruzar com Stiva, o louco. A única arma que o pobre tem para preservar sua dignidade é instilar medo.

– O problema, presidente, é que para amedrontar nossos adversários corremos o risco de amedrontar os mercados. E não podemos nos permitir que isso aconteça."

Putin estremeceu, e, pela primeira vez desde que eu o conhecera, percebi um brilho de ódio em seu olhar.

"Coloque uma coisa na cabeça, Vádia, o mercado nunca governou a Rússia. E sabe por quê? Porque ele não é capaz de garantir as duas coisas que os russos exigem do Estado: ordem interna e potência externa. Somente duas vezes, por dois breves períodos, o mercado governou nosso país: alguns meses depois da revolução de 1917, antes da ascensão dos bolcheviques, e alguns anos depois da queda do muro, durante o período Iéltsin. E qual foi o resultado? O caos. A explosão da violência, a lei da selva, os lobos saindo das florestas e entrando nas cidades para devorar a população indefesa."

O tom glacial do Czar aumentava o pavor da cena que ele descrevia.

"Seu amigo Khodorkovski se vestia como um empreendedor californiano, mas era um lobo da estepe. Ele não inventou nada, não criou nada. Simplesmente se apoderou de um pedaço do Estado, tirando proveito da fraqueza e da corrupção daqueles que deveriam protegê-lo.

Sabe quanto ele pagou pelas concessões petrolíferas, em 1995? Trezentos milhões de dólares. E sabe quanto elas valiam dois anos depois, no mercado? Nove bilhões. Que empreendedor extraordinário, não é mesmo? Um gênio! Esses oligarcas são todos iguais. Gênios. E agora eles querem nos dar uma lição de moral sobre a importância de respeitar a lei. Eles financiam nossos opositores porque acham que somos um pouco mal-educados. Porque não os ouvimos o suficiente. Talvez no futuro me substituam por um diplomado em Harvard, um fantoche que fará com que eles sejam bem-vistos no fórum de Davos, o que me diz?"

Eu, obviamente, não dizia nada.

Descarregando sua raiva, o Czar voltava a si. Ele se sentou atrás da escrivaninha e me fez sinal para sentar na poltrona à sua frente.

"Precisamos recuperar nossa soberania. E o único meio que temos, Vádia, é mobilizar todos os recursos que possuímos. Nosso PIB é igual ao da Finlândia? Talvez. Mas não somos a Finlândia: somos a maior nação que existe no mundo. A mais rica, também. Permitimos que nossa riqueza, a riqueza coletiva que cabe de direito ao povo russo, fosse roubada por um bando de malfeitores. Nos últimos anos, a Rússia criou uma aristocracia offshore, pessoas que monopolizam nossos recursos e têm o coração e a carteira longe daqui. Retomaremos o controle das fontes de riqueza de nosso país, Vádia: gás, petróleo, florestas, minas, e colocaremos essa riqueza a serviço dos interesses e da grandeza do povo russo, não de algum gângster com uma mansão na Costa del Sol.

"Não há apenas a economia. Veja o exército. Iéltsin não sabia o que fazer com o exército. Ele o temia um pouco, ele o desprezava outro pouco, evitou ocupar-se dele, deixou-o apodrecer longe dos refletores da nova Rússia, das butiques e dos arranha-céus. E assim nos tornamos uma espécie de país sul-americano, com generais que bancam os gângsteres ou entram para a política, soldados que morrem de fome e se vendem em troca de um maço de cigarros. Agora, estamos recolocando o exército na vertical do poder, junto com os serviços secretos. A força sempre foi o coração do Estado russo, sua razão de ser. Nosso dever não é apenas restaurar a vertical do poder. Precisamos criar uma nova elite de patriotas, dispostos a tudo para defender a independência da Rússia."

Na época, eu ainda interpretava os discursos do Czar ao pé da letra. Eu não tinha como saber quão profundo era o sentimento de revanche que se escondia por trás deles, nem que o vazio que eles mascaravam se revelaria impossível de preencher, mas naquela noite entendi que a guerra contra os oligarcas estava apenas começando. Não se tratava apenas de retomar o controle de algumas empresas que estavam nas mãos erradas. Tratava-se de mobilizar todos os recursos, todos os elementos de força da Rússia para reaver nosso lugar na cena mundial. Uma democracia soberana, esse era o objetivo. Para realizá-lo, precisávamos de homens de aço, capazes de garantir a função primordial de todo Estado: ser uma arma de defesa e de ataque. Essa elite já existia. Eram os *siloviki*, os homens dos serviços secretos. Putin era um deles. O mais poderoso, o mais sensato. O mais duro. Mas sempre um deles. Ele os conhecia, confiava neles e em mais ninguém. Ele os colocou, um por um, em posições de comando. No topo do Estado, sem dúvida, mas também à frente de empresas privadas, recuperadas, uma a uma, das mãos dos empresários dos anos 1990. Energia, matérias-primas, transportes, comunicações. Os homens de força substituíram os oligarcas em todos os setores. E assim o Estado russo voltou a ser a fonte de todas as coisas.

O senhor dirá que o resultado foi um sistema corrompido? Um sistema em que os ministros são ao mesmo tempo diretores de empresa, como queriam demonstrar os blogueiros moscovitas que usam jeans de trezentos dólares e se obstinam a denunciar nossas mansões, nossos barcos, nossos jatos particulares? Dizem que quando Winston Churchill se tornou Primeiro Lorde do Almirantado, ele tinha à sua disposição o *Enchantress*, o iate da marinha, a bordo do qual ele paparicava seus amigos bilionários, a quem agradecia pela hospitalidade na Suíça ou na Côte d'Azur. Durante a Primeira Guerra Mundial, o duque de Westminster lhe emprestava seu Rolls-Royce, e quando ele viajava aos Estados Unidos seus amigos empresários deixavam à sua disposição vagões de trem privativos. Na Califórnia, ele ficava na casa de William Randolph Hearst, em San Simeon, ou numa suíte do Biltmore paga por não se sabe quem. Isso o impediu de ser um dos maiores estadistas do século XX? Claro que não, pelo contrário. Por que um estadista deveria viver como um funcionário dos correios?

Essa ideia de que os homens públicos devem levar uma vida de pobre é profundamente imoral. O Estado precisa manter seu nível. Seus servidores não podem ser imbecis que deram errado no setor privado – pessoas que se apresentam em toda parte com a mão estendida para pedir doações. Nossa obra-prima foi a construção de uma nova elite, que concentra o máximo de poder e o máximo de riqueza. Homens fortes, capazes de se sentar em qualquer mesa sem o complexo dos políticos esfarrapados e dos empresários impotentes de vocês. Personagens completos, capazes de fazer uso de toda a gama de instrumentos que podem impactar a realidade: poder, dinheiro e violência, quando esta se torna indispensável. Os pseudodirigentes de vocês não estão equipados para enfrentar uma elite como essa, que parece vir diretamente de outra era, da gloriosa época dos patrícios da Roma Antiga, dos fundadores dos maiores impérios de todos os tempos.

O poder não necessariamente corrompe, ele pode melhorar um homem, desde que este seja capaz de gerenciá-lo. Todos os líderes precisam de lealdade, mais do que qualquer outra coisa, mas muitos cometem o erro de procurá-la entre os medíocres e os fracos. Erro grave: estes sempre são os primeiros a traí-los. Os fracos não podem se dar ao luxo da sinceridade. Nem ao da fidelidade. O Czar sabe que a lealdade é uma característica daqueles que podem cultivá-la; os fortes, aqueles que estão suficientemente seguros de si para alimentá-la. Dito isso, é claro que, em relação a outros lugares, a luta pelo poder na Rússia ainda é um processo selvagem e instável: tudo pode acontecer a qualquer momento. As regras são ferozes porque a própria aposta é feroz.

19

Aterrissei em Nice numa manhã de outono. O ar tinha cheiro de sal e resina. Dois capangas, vestindo Prada, me esperavam na pista para me levar ao castelo de la Garoupe. O que eles chamavam de castelo era na verdade uma mansão bastante desajeitada, construída por um barão inglês no início do século XX e sucessivamente desfigurada por diversos proprietários. Originalmente, os arredores eram um paraíso, mas, com o tempo, Antibes se tornara uma espécie de estação balnear quatro estrelas e, embora as mansões do cabo tivessem conservado uma ou duas estrelas a mais, não podemos dizer que elas tivessem sido poupadas pelo processo geral de desfiguramento que acabava de encontrar em Berezovsky um novo ator entusiasmado.

Boris usara seus milhões para comprar várias casas contíguas que ele reunira numa única e grandiosa propriedade. Ele me recebeu no pátio, aparentemente de bom humor, vestido como um financista em férias, de calça esportiva e camisa listrada. Um ar de melancolia hiperativa emanava de sua pessoa. "Nessa praia, Picasso desenhava na areia", ele me contou, fazendo o tour da propriedade. "Nessa sala, Cole Porter compôs *Love for Sale*." Em sua boca, a cultura dos anos 1920 se transformava em argumento de corretor de imóveis.

Uma vez instalado no gabinete do primeiro andar, expus-lhe o motivo de minha visita. Nossos serviços tinham coletado o rumor – na verdade, algo mais consistente que um simples rumor – de que Berezovsky se tornara um dos principais apoiadores da oposição ucraniana, que começava a deixar o Czar seriamente preocupado. A ideia de perder o controle daquela que era, havia séculos, uma parte integrante do território russo o deixava literalmente louco. "Procure aquele imbecil", ele dissera, "explique-lhe que está passando dos limites e tente trazê-lo de volta à razão."

Era o que eu estava tentando fazer, mas, como sempre, sem grande sucesso. As palavras de Boris se caracterizavam por uma qualidade circular que sempre o trazia para o mesmo ponto de partida.

"Sabe qual o problema, Vádia?

– Claro que sei, Boris, o problema é que Putin é um espião.

– Não. Ouça o que estou dizendo, Vádia, ele não é um espião. Seu chefe trabalhava para a contraespionagem. Não é nem um pouco a mesma coisa! Sabe qual é a diferença? Os espiões buscam informações exatas, é o trabalho deles. O trabalho da contraespionagem, em contrapartida, é ser paranoico. Ver complôs e traidores em tudo, inventá-los quando preciso: foram formados assim, a paranoia faz parte de suas obrigações profissionais. Na cabeça do Czar, nada acontece por acaso. A mídia sempre é manipulada. As passeatas, a indignação das pessoas, nada é como aparenta ser. Há sempre alguém por trás, puxando os fios, um marionetista que segue sua própria vontade. Foi o que ele pensou no episódio do submarino, enquanto os jornalistas apenas faziam seu trabalho e as pessoas tinham todos os motivos do mundo para estar furiosas. E é o que ele pensa agora a respeito da Ucrânia. Como se os pobres ucranianos não tivessem motivos para se rebelar contra os bandidos que os governam.

– Eles certamente têm bons motivos, Boris, mas eles também têm os trinta milhões de dólares que você lhes enviou.

– E daí? Isso se chama política, Vádia. E quer saber? Isso se chama democracia. Mas você já esqueceu o que essa palavra significa."

Atrás das janelas, a paisagem um pouco desgastada da Riviera diminuía o alcance das palavras de Berezovsky.

"Você sabe quem são os principais apoiadores da oposição ucraniana, Boris? Quer que eu faça uma lista? A CIA. O Departamento de Estado americano. As grandes fundações americanas, a Open Society de George Soros. E você, o homem que lutou a nosso lado para salvar a Rússia do desastre, que dizia que era preciso restaurar a autoridade do Kremlin.

– E daí? Vocês é que me excluíram. Lembro a você que não estou aqui por escolha pessoal. Vivo no exílio, Vádia. Porque se eu tentasse pisar na Rússia, seria colocado na prisão como seu amigo Khodorkovski. Vocês me tiraram tudo, Vádia, você queria o quê, que eu agradecesse?"

Pousei meu olhar sobre as mesas de mogno e sobre o espelho Luís XV, sobre os candelabros de bronze, as folhas de acanto, os bustos de mármore. Tudo ligeiramente destoante daquela casa, que continuava sendo uma casa de praia, mas Berezovsky nunca fora um adepto do estilo minimalista. Ele seguiu meu olhar.

"Tudo isso é meu, Vádia. Ganhei com o suor do meu rosto. Mesmo que vocês queiram, não podem fazer nada sobre isso.

– Sejamos justos, Boris. Até agora, apesar de nossas diferenças, o Czar sempre o considerou um amigo. Por isso você pôde vender sua parte nas sociedades que tinha na Rússia. Por quanto? Cerca de um bilhão e trezentos milhões de dólares, se não me engano.

– Muito menos do que elas valiam.

– Mesmo assim, o suficiente para garantir uma vida confortável para você e seus herdeiros, me parece.

– Se eu quisesse uma vida confortável, teria continuado na universidade, ensinando matemática, Vádia."

Por um instante, o espectro de Berezovsky como velho professor, de blusão de lã e calça de veludo, se materializou à minha frente.

"O que estou tentando dizer, Boris, é que você não deve subestimar o que tem. Em seu lugar, qualquer pessoa aproveitaria.

– Senão o quê? Vocês vão enviar um assassino de aluguel? Olhe ao redor, Vádia, também tenho capangas. E os meus são melhores que os de vocês porque pago a eles um salário dez vezes maior.

– Não seja grosseiro, Boris. Não vim até aqui para ameaçá-lo. Apenas para apelar a seu espírito patriótico. Entendo seu ressentimento, mas não posso acreditar que esteja cego a ponto de se voltar contra sua própria pátria.

– A Rússia de Putin não é minha pátria, Vádia. Não a reconheço mais. Com todos os nossos defeitos, pela primeira vez na história russa tínhamos conseguido construir um país livre, no qual as pessoas podiam dizer e fazer o que quisessem. Pela primeira vez em onze séculos de história,

Vádia, você se dá conta? E em poucos anos vocês acabaram com tudo. Vocês transformaram a Rússia naquilo que ela sempre foi: uma enorme prisão.

– Os russos não se queixam, Boris. Eles têm 120 canais de televisão.

– Que contam todos a mesma coisa, Vádia, como na época de Brejnev."

Eu ia responder, mas fomos interrompidos por um mordomo vestido de branco que anunciou o almoço. Descemos as escadas e nos unimos a um pequeno grupo que estava na sala de estar.

"Meus amigos, permitam-me apresentar-lhe Vadim Baranov, o verdadeiro cérebro de meu amigo Vladimir Putin, Czar de todas as Rússias."

Em nenhuma circunstância Berezovsky teria renunciado a uma hipérbole. Os olhares dos comensais se voltaram para mim com moderado interesse. Eram os olhos cansados daqueles que costumam frequentar lugares como o castelo de la Garoupe. Uma velha senhora elegante. Um corretor de imóveis cinquentão que usava abotoaduras para mostrar que seu terno era feito sob medida. Duas jovens decorativas que falavam entre si. Um profissional nórdico, com ar eficaz, visivelmente desconfortável naquela atmosfera balnear.

Eu estava prestes a me atirar sobre a bandeja de aperitivos, único antídoto para o tédio mortal que se anunciava, quando de repente senti uma forte concentração de energia, como uma onda radioativa que vinha da sala de jantar. Virando-me, descobri sua origem. Atrás da grande porta dupla de vidro totalmente aberta se erguia uma criatura perfeita, uma presença sideral. Levemente bronzeada, ela usava uma túnica de linho branco que deixava seus joelhos de fora. Seus olhos cinzentos de tubarão me contemplavam sem qualquer emoção. Era Ksenia. Ela não perdera nada de seu esplendor, que parecia, pelo contrário, exaltado pela passagem do tempo. Uma espécie de virtude guerreira substituíra, em seus traços, o ar de criança mimada que eu conhecera. Na sala de jantar de Berezovsky, Ksenia emanava a beleza de um exército em formação de batalha. Nós nos cumprimentamos sem sorrir. Tudo, no passado e no presente, nos levava a nos comportarmos como inimigos. Mas eu não percebia nenhuma hostilidade de sua parte, e não sentia em mim mesmo nenhuma inimizade por ela. Parecia-me, pelo contrário, ter reencontrado um talismã, havia muito tempo esquecido, cujo poder não fora nem um pouco alterado pela passagem do tempo.

Minha principal preocupação durante o almoço foi não olhar para ela. Num primeiro momento, não podemos dizer que a conversa tenha sido de algum auxílio nesse sentido. O cinquentão bronzeado, que de fato se revelara uma espécie de super corretor de imóveis londrino, comparava as prestações dos terminais de aviação privada de Nice e Cannes. Uma das jovens descrevia a vernissagem de uma galeria de arte contemporânea de Monte Carlo. Alguém estigmatizava a introdução de cartões de crédito no Hôtel du Cap. Minha atenção estava focada nos pequenos lavagantes que tinham sido servidos, já abertos para nos poupar qualquer dissabor.

Em certo momento, Berezovsky dirigiu a conversa para o assunto preferido de todos os russos: a Rússia, os russos, nossas idiossincrasias e nossos paradoxos. Ele se dirigiu aos hóspedes com o tom que antigamente reservava aos que frequentavam a casa Logovaz.

“Não pertencemos à mesma raça que vocês. Temos a pele branca, é claro, e outras coisas em comum, mas entre um russo e um ocidental há a mesma diferença de mentalidade que entre um habitante da Terra e um marciano. Permita-me, baronesa, contar-lhe a história de um personagem do início do século passado, provavelmente um antepassado de nosso Vádia.”

Os olhares de todos se voltaram rapidamente para mim e depois novamente para nosso anfitrião.

“Um certo Serguei, membro da aristocracia, foi combater os bolcheviques no Norte quando a Revolução de Outubro estourou. Quando os vermelhos varreram os últimos resistentes, ele pegou o caminho do exílio, primeiro Berlim, depois Paris, onde logo se tornou um dos pilares da comunidade de russos brancos. Era uma comunidade de príncipes que bebiam com ladrões de cavalos e cossacos que se reciclavam como seguranças de boates; todo um pequeno mundo que vivia muito acima de seus meios, pensando que cedo ou tarde os bolcheviques seriam expulsos e os palácios e os campos voltariam à posse de seus legítimos proprietários. ‘Ano que vem em São Petersburgo!’, eles brindavam, fingindo não entender que seu tempo acabara para sempre.”

Naquele momento, a baronesa, que claramente pertencia à nobreza de serviço inglesa, alugada a baixo preço por um final de semana ou para ter assento num conselho administrativo, soltou um suspiro doloroso. Berezovsky continuou.

“Serguei era sempre o primeiro a começar a festa e o último a se levantar da mesa: qualidade, como vocês sabem, que os russos mais respeitam. Depois de algum tempo, porém, suas finanças começaram a sentir os efeitos daquela vida, não lhe restava quase nada. Até a noite em que, num restaurante, um de seus amigos o puxou à parte e disse: 'Com o dinheiro que resta, Serioga, você pode comprar uma licença de táxi. Ouça o que estou dizendo, pense no futuro, senão acabará embaixo da Pont de l'Alma'. O que qualquer um de vocês, ocidentais com bom senso e boa educação, teria feito nesse momento?"

E Boris parou para lançar um olhar enfático a todos.

"Vou dizer o que vocês teriam feito. Vocês teriam tirado as botas com toda a tranquilidade, colocado a boina de motorista de táxi e se resignado a uma vida de corridas entre a Étoile e a Gare de Lyon, que era a coisa lógica a ser feita. Mas o que Serguei fez? Ele pensou um pouco e apertou os ombros do amigo. Depois ele se levantou, se dirigiu ao maître e, com o mesmo tom que usara para ordenar o último assalto de seu regimento contra os bolcheviques em Arkhangelsk, ordenou: 'Champanhe para todo mundo!'. Assim são os russos. Pessoas que oferecem uma última rodada de champanhe com o dinheiro da licença de táxi!"

A baronesa soltou uma risadinha distinta. Era o mínimo que podia fazer, pois o dono da casa parecia ter contado aquela história para ela. Pessoalmente, tive minhas dúvidas sobre a autenticidade da anedota; acho que Kessel, em seus relatos de juventude, contara algo parecido. Além disso, tive a impressão de que Berezovsky a desenterrara para mim. Era como se me dissesse: sou um verdadeiro russo, nunca renunciarei à minha loucura por uma licença de táxi.

"Não me parece que haja algo pelo que se vangloriar, Boris." Ksenia tomava a palavra pela primeira vez. "Olhe para eles, nas ruas do centro de Moscou, com seus Mercedes pretos e os SUV que os escoltam, as luzes rotativas ilegais e as antenas para criptografar celulares. Você não tem a impressão de que eles estão atuando? Que estão tentando conseguir um papel numa versão russa de *Missão impossível*?

– Todo mundo atua em toda parte, me parece.

– Mas só os russos para atuar tão mal.

– Não sei como são as coisas na Rússia – o corretor decidira se aventurar na conversa –, mas na África, por exemplo, também há um lado prático. Um policial sabe que, se você tem dinheiro para comprar um carrão, você também tem dinheiro para comprar seu chefe. Por isso ele não manda os Mercedes 600 pararem."

Ksenia olhou para ele como se tirasse um pouco de lama do sapato. "Em nosso caso, não deu certo. Temos uma frota de Mercedes, mas os policiais nos pararam mesmo assim."

Silêncio, sorrisos constrangidos. Dessa vez, os olhares evitaram prudentemente se voltar para mim. Eu sabia por experiência própria que o importante, durante uma agressão verbal, é não mudar de postura corporal, permanecer impassível preparando o contra-ataque. Sem piscar, optei por uma manobra diversionista.

"Viu, Boris, ao contrário do que você pensa, a Rússia não é uma república das bananas!"

Era uma enormidade, é claro. Mas quem teria coragem de contradizer uma enormidade, quando ela sai da boca do poder? Sobretudo durante uma refeição mundana. Nem mesmo o dono da casa ousou replicar. Seria um sinal de fraqueza e, durante os anos, Berezovsky aprendera, por experiência própria, o preço dos sinais de fraqueza. Depois de uma breve hesitação, a conversa foi retomada em terrenos menos escarpados. Por um momento, tive a impressão de ver nos olhos de Ksenia o brilho de uma chama distante, que imediatamente se apagou.

20

Alguns dias depois de minha excursão à Côte d'Azur, a situação na Ucrânia degenerou. Apoiados pelos americanos, os rebeldes se recusaram a reconhecer o resultado das eleições, ocupando a praça principal de Kiev com seus cantos, suas fitas laranjas e seus slogans pró-ocidentais. Subitamente, comissões de observadores internacionais, delegações do Congresso Americano e missões diplomáticas da União Europeia se materializaram do nada: todos concordavam em julgar ilegítimo o resultado das eleições vencidas pelo candidato pró-russo. Acabara de haver eleições no Afeganistão, no Iraque, com bombas explodindo nas ruas e tropas americanas ocupando as salas de votação – lá, claramente, não houvera nenhum problema, tudo correra bem. Mas não na Ucrânia, óbvio que não. A votação precisava ser repetida porque o resultado não saíra conforme o esperado. O governo ucraniano foi obrigado a convocar novas eleições e, dessa vez, ganhou o candidato pró-americano, que queria que a Ucrânia entrasse para a Otan. A Ucrânia – a pátria de Khrushchov e Brejnev, a sede de nossa frota militar – na Otan!

Eles a chamaram de "Revolução Laranja". Revolução, sim! Era o assalto final ao que restava da potência russa.

No ano anterior, havia sido a Geórgia. Lá, eles a batizaram de "Revolução das Rosas"! E também lá o resultado daquela poética revolução, com garotas bonitas e nobres ideais, levara ao poder um espião da CIA. Não era preciso uma bola de cristal para imaginar a próxima etapa: a Rússia. Uma bela revolução colorida em Moscou, um novo presidente, com um mestrado em Yale no bolso, e o triunfo dos Estados Unidos seria completo. O jovem Bush poderia atuar numa daquelas mascaradas de que ele tanto gostava. *Mission accomplished*, dessa vez diretamente da Praça Vermelha.

Os homens de força logo começaram a trabalhar. Para eles, tratava-se de instaurar as contramedidas habituais, expulsar os infiltrados ocidentais, neutralizar os agitadores, reforçar o controle sobre a mídia. Todas essas medidas eram úteis, mas eu pessoalmente duvidava de sua eficácia. Em casos daquele tipo, o uso da força é sempre uma prova de negligência, que nasce da falta de imaginação e raramente resolve os problemas de maneira duradoura.

Minha abordagem foi diferente. Naquele momento, lembrei-me de um curioso personagem que eu encontrara uma ou duas vezes ao frequentar Limonov. Alexandre Zaldostanov era um colosso de quase dois metros de altura, sempre vestido de couro preto e dotado de uma cabeleira que descia até os ombros. Aparentemente, um motociclista como os outros da vasta galeria de energúmenos de que Eduard gostava de se cercar. Ele atraíra minha atenção porque uma vez, enquanto jantávamos com Limonov e seus "comissários do povo", enquanto seus colegas se entupiam de pernil de porco frito, ele mordiscava camarões no vapor e uma salada de vagem e romã. "Meus pais eram médicos em Kirovograd", ele me dissera. "E eu também, tenho um diploma do Terceiro Instituto Médico de Moscou, fui cirurgião estético."

Em dado momento, ele se dera conta de que era mais divertido arrebentar mandíbulas do que reconstruí-las. Mas ele tinha conservado uma finesse que faltava à maioria de seus companheiros. No final dos anos 1980, ele fundara um dos primeiros clubes de motociclistas da União Soviética, no modelo dos Hells Angels. No início, os Lobos da Noite eram centauros que circulavam em velhas motos soviéticas em busca de briga, que quebravam vitrines e escapavam da polícia: os típicos rebeldes um tanto ingênuos que povoavam as periferias de nossas cidades à época. Com o fim da URSS, eles deram um salto qualitativo e se transformaram num bando criminoso que vivia de extorsões e tráficos variados. "Tínhamos a impressão de viver num filme de ficção científica", me contara Zaldostanov, "a civilização tinha desabado e nós tínhamos herdado o mundo. Ou o que restara dele." Eslavos, tchetchenos, uzbeques, daguestaneses, siberianos: o que os unia não era apenas a paixão pelas grandes cilindradas, era o gosto pela aventura. Quase todos exibiam enormes tatuagens. Águias imperiais, cristos-reis, retratos de Stálin. Pouco importava a coerência. Tudo isso, aos olhos dos Lobos da Noite, eram símbolos da grandeza russa, a única coisa essencial para eles. Por isso eles se reuniam em torno de Limonov.

Eduard era um intelectual nem um pouco estúpido e, portanto, por definição, inutilizável. Mas não Alexandre. Zaldostanov era um verdadeiro patriota, um homem de ação e um líder. Talvez tivesse chegado a hora de dar vazão à sua raiva. E à raiva de todos os garotos que o cercavam, dentre os quais nenhum, se bem me lembro, pesava menos de 110 quilos.

Marquei um encontro com ele no gabinete. Zaldostanov se apresentou em sua roupa de couro, com uma barba de três dias e uma sutil expressão de "não estou nem aí". Mas ele era um homem inteligente, não podia ficar indiferente ao lugar onde estava. Além de nunca ter posto os pés no Kremlin, a ideia de que isso um dia pudesse acontecer nunca lhe ocorrera. Pela maneira como ele caminhava, pelos olhares furtivos que lançava ao redor, entendi que o motociclista considerava aquela convocação uma espécie de milagre.

Pude constatar várias vezes que os rebeldes mais ferozes costumam ser as pessoas mais sensíveis à pompa do poder. E quanto mais eles resmungam na porta de entrada, mais eles exclamam de alegria quando entram. Ao contrário dos famosos, que às vezes ocultam pulsões anarquistas sob suas roupas douradas, os rebeldes sempre ficam maravilhados, como animais selvagens ofuscados pelos faróis dos motoristas.

Zaldostanov tenta manter as aparências, mas eu tinha a impressão de ler seus pensamentos. Passamos os primeiros minutos lembrando dos tempos heroicos do Partido Nacional-Bolchevique, omitindo o nome de Eduard, que tinha acabado de completar seus dois primeiros anos de prisão. Mas não havia tempo a perder, e decidi dar o golpe de misericórdia.

"O presidente está a par de nosso encontro e envia seus cumprimentos."

Diante dessas palavras, os 140 quilos do motociclista pareceram flutuar acima de sua cadeira. Zaldostanov estava vivendo um dos pontos altos de sua vida.

"Nos últimos anos, acompanhei suas atividades e devo dizer que estou muito impressionado, Alexandre. Vocês são formidáveis. Vocês pegam esses rapazes e lhes dão uma casa, uma disciplina. Vocês transformam vagabundos à deriva em soldados, em pessoas capazes de realizar ações extraordinárias. Vi que vocês criaram uma verdadeira empresa, com bar, shows e até merchandising!

– Eles encontram conosco as duas coisas que procuravam: fraternidade e força – respondeu sobriamente o colosso.

– Muito bem, justamente, fraternidade e força, este é o assunto. Se bem me lembro, vocês não são um simples grupo de motociclistas. Vocês são, acima de tudo, verdadeiros patriotas russos."

Zaldostanov assentiu: "Fé e Pátria, Vadim Alexeievitch. Vamos de Satã a Deus, dirigimos na contramão. Estamos prontos para a pancadaria, mas não por um quilo de cocaína. Temos outros valores.

– Exatamente, Alexandre. Os lobos não são apenas predadores, eles também são os guardiões da floresta."

O motociclista me encarou, ligeiramente perplexo. Eu exagerava um pouco, talvez? Decidi ir direto ao ponto. "Você viu o que aconteceu na Ucrânia?

– Sim, houve uma revolução.

– Não exatamente, Alexandre. Uma revolução vem de baixo, para dar o poder ao povo. Na Ucrânia, foi um golpe de Estado. E você sabe quem tomou o poder? – Zaldostanov me ouvia, concentrado, sem dizer nada. – Os americanos, Alexandre. A Revolução Laranja não nasceu na Praça Maidan, ela nasceu em Langley, na Virgínia. Mas precisamos admitir que, em relação ao passado, a CIA fez as coisas bem direitinho. No passado, eles pagavam generais. Um golpe de Estado militar na hora certa e a partida estava ganha. Eles agiram assim por muitos anos, e funcionava muito bem. Hoje, porém, a coisa ficou mais complicada, temos a Internet, celulares, câmeras. Então sabe o que eles fizeram? Mudaram de método. Na verdade, eles o inverteram: em vez de partir de cima, decidiram partir de baixo. É o poder que segue o contrapoder. Eles estudaram as técnicas dos inimigos. As guerrilhas, os pacifistas, os movimentos estudantis. E entenderam como eles funcionavam."

O Czar estava intimamente convencido disso, ao menos.

"Veja a Ucrânia, Alexandre. Eles criaram uma corporação de jovens, organizaram shows na Praça Maidan, montaram uma ONG para, segundo eles mesmos, acompanhar as eleições, e mídias supostamente independentes, por acaso controladas pelos oligarcas mais antirrussos que existem. Até a fita laranja. Aposto que fizeram uma pesquisa para escolher a cor. Tudo é calculado, como o lançamento de um novo tipo de sabão em pó. Ou melhor, de uma bebida para jovens. Porque o principal ingrediente é a energia e a frustração dos jovens, o desejo de mudar o mundo. Os americanos entenderam isso e tiram proveito desse fato.

"No fundo, Eduard tinha razão, sabe. Na base de tudo há uma demanda existencial, presente em todos os jovens. O que devo fazer com minha vida? Como posso fazer a diferença? Não é uma questão política. Mas há momentos na história em que, quando um sistema não é capaz de dar uma resposta satisfatória a essas questões, ele pode ser derrubado. É normal que os jovens mais empreendedores sintam vontade de fazer coisas, que estejam em busca de uma causa. E de um inimigo. O que precisamos fazer é apresentar-lhes essa causa e esse inimigo antes que eles os escolham por si mesmos.

"Só que nós não podemos fazer isso. Olhe ao redor, Alexandre: só verá burocratas de terno e gravata, homens de política, homens de partido. Representamos o poder, somos como o cara do filme que Eduard sempre menciona, aquele que responde 'plástico' ao jovem diplomado que lhe pergunta o que fazer da vida. Nós somos os adultos, o inimigo.

– Enquanto eu...

– Você também é um adulto, Alexandre. Mas você seguiu um caminho diferente. Você não se comprometeu. Você representa a liberdade, a aventura. Sua energia vital está intacta. Basta olhar para você para senti-la. Os jovens a sentem. Você os entende. Você sabe o que eles querem. Você sabe como falar com eles e o que dizer. Você pode ser um guia, para que eles não caiam na armadilha dos americanos. Você pode conduzi-los na direção dos verdadeiros valores. A Pátria. A Fé.

– Talvez, mas sozinho, sabe...

– Você não estará sozinho, Alexandre. Atrás de você, haverá o Czar, que o protegerá. Ele não é como nós, aqui no Kremlin. Ele não é um burocrata de terno e gravata. O Czar é como vocês. Ele pertence à tribo dos conquistadores. Ele foi feito para ser seu líder, o líder de todos os verdadeiros patriotas desse país. Não foi ele que reergueu a Rússia? Por que você acha que os americanos querem se livrar dele? Porque eles só toleram uma Rússia de joelhos, eles não aceitam que alguém possa se opor a sua hegemonia. Além disso, como eu disse, ele é como você. Ele cultua o exercício físico, a competição. Ele faz judô, caça, adora a velocidade...

– Acha que ele viria a uma de nossas manifestações?

– Claro que sim, está só esperando pelo convite! E o bom é que não precisarei convencê-lo quando ele souber que vocês estão do lado dele, que vocês querem ajudá-lo a lutar pela grandeza de nossa pátria, a Rússia que sempre soube conter os ataques, Napoleão, Hitler. Agora é nossa vez de cumprir nosso dever."

Zaldostanov já não me ouvia. Ele já se via em sua moto, cabelos ao vento, ao lado do Czar, como uma espécie de cossaco pós-atômico.

"Mas nós faremos mais. Organizaremos juntos o Maidan russo. Uma manifestação de todos os jovens patriotas de nosso país, um lugar onde eles possam se encontrar e se ver frente a frente. E começar a luta contra o verdadeiro inimigo, a decadência do Ocidente, seus falsos valores que criam divisões e frustrações!

– Sim, o Maidan russo, uma coisa enorme..."

Zaldostanov começara a se entusiasmar: ele aos poucos se dava conta de que meu plano lhe permitiria conciliar os sonhos de glória de seus vinte anos com a satisfação das legítimas ambições monetárias do quarentão que ele se tornara.

"Organizaremos outras manifestações, shows, colônias de férias. E escolas de formação, jornais, sites na Internet: tudo o que for preciso para formar uma geração de patriotas. Precisamos atacar a mediocridade do cotidiano, Alexandre! Oferecer a nossos jovens uma verdadeira alternativa ao materialismo ocidental. A Rússia precisa se tornar um lugar onde podemos descarregar nossa raiva contra o mundo e continuarmos fiéis servidores do Czar. As duas coisas não são contraditórias, pelo contrário.

– Na prática, vocês querem tornar a revolução impossível."

Ainda que entusiasmado, o motociclista não perdera o sólido bom senso que eu detectara nele desde o início.

"Digamos que queremos abolir a necessidade de revolução, Alexandre. Para que fazer uma, se o sistema a incorpora?"

21

No dia de nosso encontro, embora eu não tivesse servido nenhuma gota de vodca, Zaldostanov deixou o Kremlin inebriado. O que ele ignorava era que, em seguida, tive um encontro com o líder de um grupo de jovens comunistas que me impressionara por sua vivacidade. Depois, encontrei-me com a intrigante porta-voz de um movimento de renascimento ortodoxo. E, depois dela, com o líder dos extremistas do Spartak. E depois com o representante de um dos grupos mais populares da cena alternativa. Assim, pouco a pouco, todos foram recrutados: os motociclistas e os hooligans, os anarquistas e os skinheads, os comunistas e os fanáticos religiosos, a extrema-direita, a extrema-esquerda e quase todos os que estavam no meio. Todos que eram capazes de dar uma resposta excitante à necessidade de sentido da juventude russa. Depois do que aconteceu na Ucrânia, não podíamos nos permitir deixar sem vigilância as forças da raiva. Para construir um sistema realmente forte, o monopólio do poder já não bastava, era preciso o da subversão. Mais uma vez, tratava-se, no fundo, de utilizar a realidade como matéria-prima para a instauração de uma forma superior de jogo. Eu nunca fizera outra coisa na vida além de avaliar a elasticidade do mundo, sua inesgotável propensão ao paradoxo e à contradição. Agora, o teatro político que tomava forma sob minha direção representava a conclusão natural desse percurso.

Devo dizer que todos desempenharam de bom grado o papel que lhes fora atribuído. Alguns com talento, inclusive. Os únicos que não arregimentei foram os professores, os tecnocratas responsáveis pelas catástrofes dos anos 1990, os porta-estandartes do politicamente correto e os progressistas que lutam por banheiros transgêneros. Preferi deixá-los para a oposição: na verdade, a oposição precisava ser constituída justamente por personagens como eles. De certo modo, eles se tornaram meus melhores atores, não precisamos sequer contratá-los para que trabalhassem para nós. Moscovitas que se sentiam em terra estrangeira assim que saíam do terceiro círculo do anel viário da cidade, pessoas que não seriam capazes de mover um sofá – que dirá governar a Rússia... Sempre que tomavam a palavra, eles confirmavam nossa popularidade. Economistas com a empáfia de seus PhD, oligarcas sobreviventes dos anos 1990, profissionais dos direitos humanos, militantes feministas, ecologistas, veganos, ativistas gay: uma dádiva do céu, para nós. Quando as garotas daquele grupo musical profanaram a Catedral de Cristo Salvador, berrando obscenidades contra Putin e o patriarcado, elas nos fizeram subir cinco pontos nas pesquisas.

Sem falar de Garry Kasparov, o campeão de xadrez, que fundou seu próprio partido de oposição. Encontrei-o uma única vez, numa dessas recepções mundanas que, em Moscou, conseguem colocar opositores lado a lado.

Não era um lugar que eu costumava frequentar, mas o senhor não imagina como é difícil escapar dos pedidos de uma dona de casa insistente. Anastasia Tchekhova reinava havia anos na alta sociedade moscovita, combinando a aura cultural decorrente do fato de ser descendente de um grande escritor com o poder de compra garantido por seu marido banqueiro. Ela morava num pequeno palacete particular construído no início do século XX por um mercador de cereais que não pudera aproveitá-lo por muito tempo.

Num hall de entrada forrado de azul turquesa, grandes portas de mogno, ornadas com maçanetas de cobre esculpidas na forma de pássaros, davam acesso a uma série de salões decorados no estilo dos Anos Loucos, com toda uma geometria de aparadores, divãs e mesinhas que serviam de moldura à formidável coleção de jades antigos da dona da casa. Entre as superfícies luzidias dos móveis e dos espelhos cercados de flores, poderíamos ver surgir Zelda Fitzgerald ou Kiki de Montparnasse. Mas na maior parte do tempo acabávamos nos deparando com um cabeleireiro em voga ou, no melhor dos casos, com um correspondente do *New York Times*.

Naquela casa, as noites eram coreografadas demais para serem divertidas, mas as pessoas a frequentavam mesmo assim, porque gostavam de encontrar a confirmação de sua própria importância social. Na falta de alegria de verdade, podíamos ler nos olhos dos presentes a paixão ávida de saber primeiro que os outros, de viver numa dimensão onde tudo acontecia um pouco antes e onde, com um pouco de habilidade, essa vantagem podia ser convertida em produtos preciosos: dinheiro, poder, prestígio.

A dona da casa planejava suas recepções como campanhas militares. Dominadora, ela percorria a alta sociedade moscovita como um vento infiel e glacial. Embora o objetivo sempre fosse mundano, a estratégia para alcançá-lo envolvia a mobilização de recursos variados. Os homens de negócio garantiam o suporte, e os aristocratas a decoração, mas para que a noite fosse considerada um sucesso era necessário combinar ingredientes mais raros: uma certa dose de gênio, uma pitada de glamour internacional e um toque de transgressão. Garry Kasparov apresentava a vantagem de concentrar os três aspectos numa só pessoa. Jogador de xadrez de renome mundial, ele se voltara para a política organizando supostas "marchas dos dissidentes" pelas ruas da capital, o que imediatamente lhe conferira uma auréola de heroísmo de salão. As matronas cobertas de joias da Moscou radical-chique se agitavam em torno dele como se ele fosse um novo Che Guevara.

Naquela noite, ao entrar, vi-o mantendo seu público hipnotizado, visivelmente ébrio de sua glória mundana e talvez não apenas dessa. Em dado momento, alguém deve ter lhe indicado minha presença.

"Ah, Baranov", ele me interpelou, "o mago do Kremlin, o Rasputin de Putin. Sabe o que as pessoas dizem de sua 'democracia soberana'? Que ela está para a democracia como a cadeira elétrica está para a cadeira."

Caí na gargalhada. "Isso demonstra que os russos ao menos não perderam o senso de humor! Kasparov, falando sério, sabe o que significa a democracia soberana?

– Não sou politólogo, mas enquanto jogador de xadrez eu diria que é mais ou menos o contrário de uma partida. No xadrez, as regras são sempre as mesmas, mas o vencedor muda o tempo todo. Em sua democracia soberana, as regras mudam, mas o vencedor é sempre o mesmo."

É preciso admitir que o campeão sabia contra-atacar. As pessoas a nosso redor giravam como groupies nos bastidores de um show.

"Talvez. Sei que a política não é seu campo, mas me diga uma coisa, Kasparov, o CDU não ficou no poder por vinte anos na Alemanha, depois da Segunda Guerra Mundial? E o Partido Liberal-Democrata, no Japão, por quarenta anos? Vocês, os liberais, pensam que a cultura política russa é o produto arcaico da ignorância. Vocês consideram nossos hábitos e nossas tradições como obstáculos ao progresso. Vocês querem imitar os ocidentais, mas deixam escapar o essencial."

Kasparov me observava com um ar francamente hostil.

"Se quisermos algo doce, devemos comer o bombom, não a embalagem. Para conquistar a liberdade, é preciso assimilar sua substância, não sua forma. Vocês repetem os slogans que aprenderam em Washington e em Berlim, enquanto isso enchem nossas ruas com embalagens de bombom. Vocês são como os Bourbon, não esquecem nada e não aprendem nada: vocês tiveram sua chance e despedaçaram a Rússia. Desde que perderam o poder, vocês sonham em recuperá-lo para completar sua obra. De nossa parte, examinamos a fundo a questão, aprendemos a lição do Ocidente e a adaptamos à realidade russa. A democracia soberana corresponde aos fundamentos da cultura política russa. É por isso que o povo está do nosso lado. Vocês, os professores, são os únicos que ainda não entenderam isso.

– Mas não sou professor!

– Claro que não. Você é um campeão de xadrez."

Kasparov entendeu a ironia e não gostou. Filho do Cáucaso, ele apertou os lábios numa expressão dissuasiva.

"Não existe jogo mais violento que o xadrez."

Eu sorri com doçura.

"Você não sabe do que está falando, professor: a política é infinitamente mais violenta.

– Mas não é um jogo.

– Para os amadores, ela não é um jogo. Em contrapartida, acredite em mim, para os profissionais ela é o único jogo que merece ser jogado de fato."

Kasparov olhou para mim como se eu estivesse louco. Pareceu-me que também reprimiu um calafrio.

22

Sempre gostei dos bares dos grandes hotéis. Ao contrário dos restaurantes pretensiosos, onde é preciso reservar com antecedência e nunca estamos ao abrigo das palhaçadas de um chef estrela do momento, todos os bares, mesmo os mais famosos, estão sempre disponíveis, prontos para receber uma clientela variada composta de turistas de bom humor, empresários mais ou menos sinistros, mulheres de condição incerta. O ar que respiramos nesses lugares costuma ser neutro, nada se parece mais com o bar de um grande hotel de Londres do que o bar de um grande hotel de Lisboa, de Singapura ou de Moscou. Mesma luz difusa, espelhos opacos, falsos revestimentos de madeira. Mesma música, mesmos garçons, mesmo cardápio. A combinação exata de conforto e indiferença, nisso reside sua força: em todas as cidades do mundo, sem nenhum guia, basta se dirigir para o bar de um grande hotel, em certa hora da noite; não precisamos de mais nada para ficarmos bem, desde que fujamos como da peste dos lugares da moda, dos hotéis-butique e de todas as armadilhas do gênero.

Em Moscou, os bares dos hotéis, à época, eram meu oásis, eu podia fingir observar de fora a brutal realidade na qual mergulhara, adotando por algumas horas o ponto de vista do turista e do empresário de passagem. Só de vê-los esparramados em sofás, com expressões ligeiramente aliviadas, eu me sentia mais calmo. Como se as portas giratórias dos halls de entrada tivessem a força de não deixar entrar a matéria obscura da cidade, criando uma pequena Suíça sob medida.

No Metropol, em geral, bastava eu beber os primeiros goles de uísque para me sentir transportado para as margens prósperas e inofensivas do Lago Léman. Naquela noite, porém, contrariando meus hábitos, eu estava totalmente concentrado no presente. Sentada à minha frente, Ksenia pedira um copo d'água. Depois de muita insistência, eu conseguira marcar um encontro com ela, o que não significava que ela estivesse disposta a me dar satisfações. Ela elevara à categoria de grande arte a atitude feminina de dizer não enquanto fazia que sim com a cabeça, de sorrir enquanto insultava, de se oferecer e se afastar ao mesmo tempo, sem nunca cair em contradição. Com ela, um homem podia ter a sensação da vitória e a consciência da impossibilidade da vitória. As duas coisas eram inseparáveis. E constituíam a essência do desejo e talvez até mesmo do amor.

Eu tinha uma vaga consciência de tudo isso na época. Eu ainda estava em busca de algo e foi somente mais tarde que entendi o que era. Naquela primeira noite, tentei descobrir o que ela tinha feito nos últimos anos. Nada, ela me respondeu. Era verdade. Eu agora me lembrava. Ksenia não acreditava no trabalho. Ou em qualquer esforço que tivesse por objeto alguma coisa que não ela mesma. Enquanto as mulheres e companheiras dos oligarcas abriam galerias de arte contemporânea, fundações para salvar os órfãos russos ou as focas do Ártico, ela não fazia nada. Sua preguiça, isenta de todo compromisso, era uma forma de sabedoria. Ksenia não sentia necessidade de acrescentar qualquer tipo de atividade a sua vida, o que lhe conferia uma superioridade automática sobre os outros. Sua força não residia apenas na beleza com que ela invadia qualquer lugar, na incrível qualidade de seus gestos. Em si mesma, Ksenia constituía uma doutrina. Que não tinha nada a ver com a matéria abstrata das provas universitárias, que era a verdadeira filosofia, uma questão de vida ou morte, a única com que vale a pena se confrontar. Havia nela algo que despertava nos homens a nostalgia irresistível de vidas não vividas. E o desejo de contá-las a ela. Qualquer coisa para não perder sua atenção. Sua presença tornava o milagre possível. Ou dava essa impressão.

Falei com ela como não falava havia anos. Como eu talvez nunca falara com ninguém, com a sensação de poder ser compreendido. É bem possível que se trate de uma técnica desenvolvida por Ksenia, um efeito de ótica que ela conseguia produzir, o reflexo de uma miragem e nada mais. Mas era suficiente para mim. Contei-lhe que, alguns dias antes, depois de entrar correndo num elevador do Kremlin, eu vira meu reflexo fugaz num espelho. Só que não era eu, era o rosto de meu pai. Ele aparecera de repente e agora não me abandonava mais, eu o via quase todas as manhãs ao fazer a barba, ele me observava com surpresa e uma ponta de ironia. O rosto de meu pai, que eu acabara adquirindo apesar de meus esforços para evitá-lo. E atrás dele, a calvície que abria caminho e esperava sua vez, deixando sua marca em meus traços cada vez mais cansados. Falei-lhe de meu cansaço. E pela primeira vez, falando com Ksenia, percebi que o sentia. Eu corria tanto e havia tanto tempo que, aos quarenta anos, me sentia como um atleta olímpico pronto para a aposentadoria.

Depois desse primeiro encontro, adquirimos o hábito de nos encontrar no Metropol. Aparentemente, ela se deixava guiar, passando do copo d'água do primeiro encontro para a taça de chablis do segundo, até a vodca-Martini dos encontros seguintes. Na verdade, sentada à minha frente, de pernas cruzadas, com seus pequenos seios empinados, ela aos poucos restaurava seu reinado. Seus olhos sorriam, depois se tornavam sérios. Nem por um instante, ao longo dos anos em que estivemos separados, sua inteligência parara de crescer. Ela se nutrira de todas as coisas e voltava para mim renovada e pura. Ksenia transmitia uma sensação de calma que eu não lhe conhecia, como se a agitação que ela tinha por dentro finalmente tivesse encontrado seu antídoto nos acontecimentos caóticos que haviam marcado os últimos anos de sua vida. Suas suspeitas do passado, sobre a vida e sobre as pessoas, tinham sido confirmadas, assim como tinha sido confirmada sua capacidade de compreendê-las e gerenciá-las. Falar com ela era como pôr um fim a um exílio que durara tempo demais. Nossas ideias se encadeavam e brincavam juntas, como crianças numa tarde de sol. Até o dia em que, por distração, nos aventuramos no terreno que, até o momento, tínhamos evitado.

A noite já estava adiantada e eu me lançara com ênfase alcoólica na história de um jesuíta espanhol que, vivendo em tempos obscuros, escrevera um manual para ajudar as almas vigorosas e constantes a se orientar: embora a galanteria, a generosidade e a fidelidade tivessem se perdido, ele afirmava que deveria ser possível encontrá-las no coração de um homem de valor.

Ksenia fez uma careta.

“Glória e paixão, vocês homens são sempre tão românticos. Nós, mulheres, não podemos nos permitir isso: somos responsáveis pela sobrevivência do mundo.”

Sorri por minha vez, sempre gostei de ver confirmados meus preconceitos mais enraizados. Um dos principais encantos da mulher russa é sua ferocidade. E entre todas as mulheres russas que eu tivera ocasião de conhecer, Ksenia com certeza era a mais feroz. Ela me fuzilou com o olhar.

“Não venha me dizer que você também é como todos os outros, Vádia, um desses que nunca entenderão absolutamente nada.

Não, não, eu nunca entenderia nada, isso deveria estar claro. Longe de mim afirmar o contrário. Mas Ksenia continuava.

“Vocês fazem grandes discursos, mas depois misturam tudo. Vocês pensam que, no fundo, o casamento é uma maneira de se garantir um público, alguém que esteja sempre ao lado de vocês, admirando seus feitos.”

Eu não tinha certeza se era a mim que ela se dirigia.

“Você não, é claro, Vádia, você é um poeta. Um poeta perdido entre os lobos. Para você, o amor é sagrado, claro, lembro bem. ‘Veja, atrás da floresta onde caminhamos tremendo, como que um castelo iluminado, a noite já à espera.’

– Que maravilha, eu tinha esquecido de Rilke.

– Sim, que maravilha! Se dependesse de você, ainda estaríamos no divã da Rua Gasheka, de mãos dadas.

– Em minhas lembranças, não ficávamos apenas de mãos dadas nesse divã.”

Por um momento, a expressão de Ksenia se suavizou, mas ela logo se fechou.

"O casamento é o contrário do amor. É como os impostos. De certo modo, você o faz para os outros.

– Sim, para construir o futuro do socialismo!"

Eu não entendia por que ela me dizia aquelas coisas. Ou talvez sim. De todo modo, eu não queria ouvi-las. Mas ninguém jamais deteve Ksenia depois que ela decidiu demonstrar alguma coisa.

"É uma lei, a base de qualquer sociedade. Não é o que o Czar repete o tempo todo, quando está com seus amigos ortodoxos? Por isso é ridículo pensar em baseá-lo num sentimento passageiro.

– Mas podemos ao menos fazer um brinde aos sentimentos passageiros, não?"

Impassível em seu assento de veludo preto, Ksenia ignorou minha taça erguida.

"No mundo inteiro, por séculos a fio, os homens e as mulheres se casaram por motivos que não tinham nada a ver com o amor, sem cultivar esperanças absurdas como a ideia de encontrar a felicidade num contrato. Eles encontravam no casamento a estabilidade necessária para fundar uma família. Depois, para o resto, eles se organizavam, de mil maneiras... Sabia que os franceses do século XVIII nunca convidavam um marido e uma mulher para jantar juntos?

– Folgo em saber! Vejo que nosso convívio deixou marcas."

Na verdade, eu não me alegrava nem um pouco, meu único desejo era que Ksenia mudasse de assunto. Mas não havia nada a fazer.

"Sabe o que é curioso? Acontecia de, às vezes, o casal se apaixonar. Era considerado um fato um tanto constrangedor à época, mas acontecia...

– Por favor!

– É preciso dizer que na maioria dos casos isso não acontecia. Mas o casamento funcionava porque ele tinha bases sólidas. E o amor era encontrado fora dele.

– Para o marido, ao menos...

– Para a mulher também, nas sociedades mais evoluídas. Você se lembra de como as coisas funcionavam aqui, na época da URSS, não? Os maridos e as mulheres tinham férias em momentos diferentes. Faziam isso de propósito, havia estabelecimentos de férias para uns e outros. Assim, todos podiam aproveitar... Essa ideia ridícula de casar por amor é culpa dos romances do século XIX, dos filmes de Hollywood. Até que descobrimos que o amor não dura ou que nunca existiu, ou que há um maior na esquina."

O cinismo espontâneo de Ksenia sempre me fascinara. Naquele caso, porém, o buraco era um pouco mais embaixo.

"Quando você me deixou, já não me amava mais.

– E como eu poderia, Vádia? Você era um jovem mimado, brincava de ser artista, se escondia. Você sabe de onde venho, Vádia, eu já conhecia a boemia. Não era o que eu queria. Não há liberdade na boemia, apenas uma fuga sem fim. Minha mãe se considerava uma rebelde, ela queria ser livre, mas ao envelhecer começou a depender de qualquer *loser* que aceitasse protegê-la. Entendi, então, que a verdadeira liberdade nasce do conformismo. É somente quando você mantém as aparências que você pode fazer o que quiser. Eu precisava de estabilidade. Econômica, é claro. Mas não apenas. Misha tinha o controle.

– Ao menos até perdê-lo.

– Isso porque vivemos num país absurdo.

– Talvez. Mas num país normal Misha seria, no melhor dos casos, um *bookmaker* clandestino.

– Não acredito. Misha teria tido êxito em qualquer lugar. Mas aqui ele precisou seguir as regras russas.

– Só que ele não entendeu essas regras. Se você comprar uma coisa por uma ninharia, e além disso com dinheiro emprestado, essa coisa não lhe pertence, ela pode ser tirada de você a qualquer momento. Seu Misha achava que era um Steve Jobs, mas não passava de uma boneca inflável.

– Você realmente ainda está zangado com ele, depois de tudo o que vocês fizeram? Não acha que ele já pagou o suficiente?

– Não."

Ksenia me olhou de maneira estranha. Pensei por um momento que fosse ir embora. Mas de repente seu rosto adquiriu a inquietante doçura de que só ela era capaz. Seus olhos brilhavam como os de uma criança de quatro anos.

"Você gostava tanto assim de mim?

– Eu a amava, Ksenia.

– E agora? Nesse momento?"

Silêncio.

"Ainda amo."

Ksenia já não era uma criança. Ela era uma mulher no auge de suas possibilidades e me dirigia o sorriso seguro e profundo de seus quarenta anos. A ninfa curiosa e cruel que eu conhecera crescera sem perder nada de seu encanto. Olhei ao redor. O pianista parara de tocar. Os turistas tinham ido dormir. Restavam dois garçons, que pareciam inquietos. Um de frente para o outro, Ksenia e eu éramos testemunhas de um fato incompreensível, como soldados que se veem numa trincheira pela primeira vez e que nada, jamais, poderia ter preparado para aquele momento. Alguma coisa que começara anos atrás estava se realizando, de maneira totalmente inesperada e calma.

Acostumado aos acontecimentos que abrem os jornais na televisão e fazem as pessoas discutirem nas ruas, eu não estava pronto para aquilo. O acontecimento imperceptível que muda tudo.

Lembrei-me então da inutilidade das palavras. Um segundo antes, elas não eram necessárias, no momento seguinte nada poderia impedi-las. Saímos do hotel e começamos a caminhar. Toda a imaginação noturna de Moscou estava a nossa disposição. Acima de nós, o céu parecia profundo e puro. Percorremos as ruelas que contornam a Tverskaia. Nossos passos afundavam na neve, substituindo as palavras. A fachada das antigas casas senhoriais e os galhos das pequenas árvores cobertas de flocos espessos nos escoltavam em silêncio. Seu zelo tornava supérflua qualquer tipo de prudência. Nós nos olhávamos de tempos em tempos, em busca de confirmação nos olhos um do outro.

23

O golpe do labrador não foi ideia minha. Mas devo admitir que foi genial, ainda que um pouco brutal, como quase todas as iniciativas do Czar. A chanceler alemã estava pronta para um encontro normal. Impecável, de tailleur preto e botinhas compradas no supermercado, como sempre, sem nenhum papel. Porque ela estudava tudo previamente: fichas minuciosas produzidas por sua equipe, anotações com cabeçalhos dos ministérios e memorandos em papel simples, redigidos pelos serviços de segurança da República Federal da Alemanha. Noites e dias inteiros devorando dados, traçando cenários geopolíticos com a mesma exatidão que ela antigamente utilizava nas experiências de laboratório à época de sua carreira universitária. O resultado é que a chanceler sempre chegava afiada e segura de si, impiedosa como todos os que sabem que podem se deixar levar a tanto, com a força geométrica das *Länder* e das *Konzerne* atrás dela. Naquele dia, no entanto, nada poderia tê-la preparado para o que a esperava quando ela entrou na sala de reuniões. Koni. A gigantesca labrador preta do Czar.

Para melhor avaliar a situação é preciso saber que a chanceler tinha fobia de cães. Com o passar dos anos, ela subjugara mais animais selvagens na arena política mundial do que todos os domadores de circo juntos. Mas um cachorro, de qualquer tipo, mesmo o mais insignificante, conseguia despertar nela um terror primordial que sentia desde os oito anos de idade, quando um milagre impedira o rottweiler do vizinho de estraçalhá-la sob o olhar horrorizado de seu pai.

Imagine então a cena no Kremlin, naquele dia. Aliás, o senhor não precisa imaginá-la, pois as fotografias estão na Internet. A chanceler aparece com um sorriso amarelo enquanto Koni, de pelo brilhante, ronda a seu redor. A chanceler petrificada em sua cadeira, enquanto Koni avança, brincalhona, pedindo carinho. A chanceler a beira de um ataque de nervos quando Koni enfia o focinho em seu colo para sentir o cheiro de sua nova amiga. O Czar, a seu lado, sorri, relaxado, com as pernas abertas: "Tem certeza de que a cachorra não a incomoda, senhora Merkel? Eu poderia levá-la para fora, mas ela é tão boazinha, sabe. Raramente me separo dela."

A labrador. Foi nesse momento que o Czar decidiu tirar as luvas e começar a jogar do jeito que ele aprendera a jogar nos pátios escolares de Leningrado, onde mal tinha tempo de tocar a bola e outro colega já lhe acertava um joelhaço no saco. Ele precisava demonstrar que era um pouco mais louco que os demais, para que os brutamontes não se prevalecessem. A política de altíssimo nível é quase a mesma coisa. Salões dourados, guardas de honra, cortejos oficiais atravessando ruas fechadas, mas no fundo a lógica é a mesma do pátio de escola, onde os brutamontes impõem sua lei e onde a única maneira de ser respeitado é o joelhaço.

Nos primeiros anos, ao entrar na cena internacional, o Czar se mantivera um pouco à parte, com a atitude clássica do russo que nunca tem os papéis em dia e precisa se submeter ao exame minucioso de juízes mais civilizados. O eterno complexo do bárbaro de fronteira, que precisa ser perdoado pelos cinco séculos de massacres que culminaram no apocalipse do socialismo real. Na época, Moscou estava cheia de estrangeiros medíocres e eficazes. Eles circulavam nas grandes empresas, nos ministérios e até mesmo no Kremlin, com ares de pró-cônsules romanos enviados para restabelecer a ordem em alguma província distante do Império. Eles dirigiam bancos, fundações, jornais. Eles ofereciam conselhos e julgamentos com o tom daqueles que se dirigem a uma criança que eles sabem que se sairá mal, apesar de todo o amor e esforço dos pais.

Tínhamos nos acostumado a ouvi-los. Porque era a única coisa a fazer, *there is no alternative*. Na verdade, de tanto segui-los, as coisas não melhoravam. E, não se sabe como, em vez de crescer, nossa influência diminuía. E quanto mais tentávamos ser aceitos, menos eles pareciam nos levar em consideração. Depois, até isso deixou de ser suficiente. Nossa docilidade mereceu ser punida com grande severidade. A Otan nos países bálticos, as bases americanas na Ásia Central e a tutela das instituições financeiras já não eram suficientes. Eles quiseram tomar o poder diretamente. Nos devolver a nosso subsolo e colocar em nosso lugar agentes da CIA e do Fundo Monetário Internacional. Primeiro na Geórgia, depois na Ucrânia, no coração de nosso império perdido.

Quando o Czar viu as multidões enlouquecidas, financiadas por George Soros, pelo Congresso Americano e pela União Europeia, ocupando Tbilisi, Kiev, Bishkek e anulando com violência o resultado das eleições, ele finalmente entendeu. O verdadeiro objetivo era ele. Se ele deixasse a subversão laranja passar sem reagir, o contágio se disseminaria até a Rússia, derrubando seu poder para colocar no lugar um fantoche do Ocidente. Toda a sua boa vontade de estudante russo que faz aulas de civilidade com os vencedores da Guerra Fria não servira de nada. Ela simplesmente convencera os novos patrões de que não havia nenhuma razão para ter escrúpulos. O caminho para Moscou estava livre, a vitória completa, que escapara a Napoleão e a Hitler, estava finalmente ao alcance.

Foi então que o Czar decidiu apostar no labrador. Não se tratava de uma manobra totalmente original, na verdade já houvera o precedente de um imperador romano. Mas nós fizemos melhor, porque Calígula apenas nomeara seu cavalo senador, ao passo que nós promovemos o cachorro direto a ministro das Relações Exteriores.

Depois disso, a situação melhorou muito. Nossos parceiros começaram a nos ver com outros olhos e, passo a passo, recuperamos o respeito que tínhamos perdido na cena internacional. Sob a condução de Koni, a Rússia voltou a se tornar uma grande potência. Na Europa e no Oriente Médio, nossa voz voltou a ser ouvida.

Os talentos da labrador de Putin são fora do comum. Em primeiro lugar, Koni é uma fêmea, o que estabelece uma superioridade automática sobre seus colegas machos. Além disso, ela é descendente direta do cachorro preferido de Brejnev e dizem que seu nome vem de Condoleezza Rice, a ex-Secretária de Estado americana. Enfim, ela tem a política no sangue. Mas sua qualidade decisiva é a surpresa. Enquanto seus colegas humanos elaboram estratégias prudentes, baseadas em análises intermináveis, tergiversam e não concluem nada, Koni fareja o ar e toma a iniciativa. Ela é soberana, age sem pedir permissão. Sob sua direção, aprendemos a aceitar o caos. A fazer dele um aliado. Nada de grandes estratégias. As pessoas pensam que o centro do poder é o coração de uma lógica maquiavélica, mas na verdade ele é o coração do irracional e das paixões, um pátio de escola, acredite, onde a maldade gratuita tem livre curso e prevalece inevitavelmente sobre a justiça e mesmo sobre a pura e simples lógica. Entre os primatas, o homem tem o maior cérebro, é verdade, mas seu pau também é o maior, até que o do gorila. E isso deve querer dizer alguma coisa, não?

Os velhos dirigentes soviéticos tinham certas qualidades, mas eles sempre escolhiam a estabilidade diante da incerteza. Eles gostavam das coisas organizadas e previsíveis. Foi por isso que, no fim, foram devorados pelos americanos. Porque nesse jogo vocês, ocidentais, são os melhores. Toda a visão de mundo de vocês se baseia no desejo de evitar acidentes. De reduzir o máximo possível o terreno das incertezas, para que a razão triunfe, suprema. Nós, ao contrário, entendemos que o caos é nosso amigo, para falar a verdade, nossa única possibilidade. Comparar os mercenários e os hackers de Koni aos velhos funcionários da primeira diretoria da KGB, como fazem os analistas ocidentais, é ridículo. Estes eram burocratas previsíveis, enquanto ainda não sabemos ao certo o que aqueles farão amanhã. Mas apostamos neles: bastou que o labrador mostrasse o caminho para que eles se manifestassem furiosamente; estavam só esperando por isso.

24

Nunca fui um apaixonado por São Petersburgo, cidade homogênea, parada no tempo, desprovida de força vital e da contínua surpresa de formas que torna Moscou tão excitante e indecifrável. Sempre que vou para lá, tenho a impressão de percorrer um cenário teatral abandonado por seus personagens, fruto de uma aposta ingênua e grotesca, que deu errado e foi, com razão, relegada às margens da história. O Czar, ao contrário, só se sente plenamente à vontade lá. Assim que ele pisa em Piter, a capa de autocontrole forçado que o envolve na capital parece cair até seus pés, liberando um personagem mais afável. Não vá pensar em grandes risadas e tapinhas nas costas, mas em casa Putin relaxa e às vezes até se permite uma cerveja ou uma taça de vinho. São Petersburgo, acima de tudo, é para ele o lugar dos familiares.

Quando eu trabalhava para ele, acontecia-me de ir ao encontro do Czar em sua cidade natal. Nunca fiz parte de seu círculo mais íntimo: nossa relação, mesmo nos momentos mais intensos, sempre foi uma relação de trabalho. Havia, acredito, em nossos respectivos temperamentos – e talvez em nossas respectivas origens – algo muito profundo que nos impedia de cruzar o limiar que normalmente dava acesso à amizade. Nem ele nem eu jamais quisemos isso. Putin tinha seus amigos, o colorido e variado grupo de judocas, espiões e empresários com quem ele compartilhara diferentes fases de sua obscura vida antes de chegar às luzes do Kremlin. E eu tinha os livros e, de novo, Ksenia, que bastavam amplamente para satisfazer minhas exigências sentimentais. Dito isso, com o passar dos anos uma verdadeira cumplicidade se desenvolveu entre nós e não creio me enganar ao dizer que o Czar apreciava minha companhia. Ele gostava de me envolver em todo tipo de situação, para conhecer meu ponto de vista – ele sabia que seria diferente dos outros e, em geral, mais direto. Acho que ele via em mim uma forma de liberdade interior que, embora o impedisse de confiar totalmente de mim, também o levava a buscar meu conselho. Para mim, estar a seu lado era um privilégio. Não pelas vantagens que decorriam disso, pelos espelhos coloridos que atraíam as grandes feras e os pequenos abutres da política, mas pela experiência única de poder acompanhar, dia após dia, um drama elisabetano que se desdobrava no palco do mundo.

Se Putin era o inegável protagonista, seu círculo de amigos de Petersburgo desempenhava papéis secundários dignos de *Ricardo III*. Em poucos anos, eles tinham passado da condição de conspiradores provinciais, obrigados a tergiversar entre letras de câmbio expiradas e telefonemas de diretores de bancos, à de nobreza do Império, acumulando riquezas dignas de emires do Golfo. Esse processo, muito rápido, varrera tudo em seu caminho. Nada de seus sentimentos e inclinações originais sobrevivera ao dilúvio de bilhões que se abatera sobre os amigos do Czar. Cada um deles fora transformado até o fundo de seu próprio eu.

Mas o pacto implícito com Putin era agir como se nada tivesse acontecido, frequentar-se com a mesma simplicidade de antes. Porque fora em nome do passado que o Czar os cobrira de ouro, certamente não pelos dons excepcionais que nenhum deles possuía. Enquanto Putin tinha características fora do comum que podiam justificar sua ascensão, o único mérito daqueles homens era ter cruzado seu caminho em algum momento e ter sabido atrair sua simpatia, principalmente sua confiança. Cultivar a benevolência do Czar era a única condição que eles precisavam preencher para que as dádivas dos céus continuassem a cair sobre eles. Mas, para isso, não bastava a simples bajulação do cortesão. Eles eram os amigos de quem Putin esperava, ou fingia esperar, um certo grau de sinceridade, ainda que todos soubessem que esta encontrava seu limite na ideia, cada vez mais hipertrófica, que o Czar cultivava de si mesmo. Na prática, tratava-se de elogiá-lo como qualquer pessoa, mas demonstrando a sinceridade ríspida própria dos velhos amigos. Uma operação muito delicada que produzia cenas grotescas que eu às vezes presenciava em Petersburgo, com os amigos multiplicando as zombarias e as pequenas impertinências sem nunca contradizer o Czar em nenhum ponto fundamental, mas representando aqueles que seriam os primeiros a apoiá-lo em todas as suas ideias.

Foi numa dessas ocasiões que conheci Evgueni Prigojine. Tínhamos nos cruzado quatro ou cinco anos antes no salão privativo de um restaurante cheio de espelhos e lustres. Putin o apresentara a mim como dono do lugar, um sujeito de aparência bastante insignificante, calvo, que sorria com modéstia, e que de fato, durante toda a refeição, desempenhara muito bem seu papel, descrevendo os diferentes pratos, servindo bons vinhos franceses e mantendo-se a todo momento à disposição do Czar, pronto para satisfazer qualquer exigência gastronômica. Com sua gravata prateada de casamento, ele se dirigia a nós com atenção, e mais secamente com os funcionários. Somente ao fim da refeição Putin o convidou a se sentar conosco. A mesa estava mergulhada numa conversa cada vez mais alcoolizada sobre os respectivos méritos de várias agências de *escort* europeias. O Czar, que evidentemente não recorria a esses serviços, não participava da discussão, mas a acompanhava com uma expressão risonha em que cada um dos presentes prestava atenção, caso fosse preciso, se esta mudasse, trocar imediatamente de assunto. Prigojine se integrou com naturalidade à conversa, seu ar de mordomo deu lugar ao ceticismo jovial que convinha aos membros do círculo mágico dos amigos de longa data. Num primeiro momento, ele teve um certo sucesso com algumas anedotas picantes sobre suas aventuras noturnas nas Baleares. Depois, voltou a conversa para sua última façanha empresarial: a compra de uma gigantesca propriedade agrícola às margens do Mar Negro, que ele pretendia transformar numa plantação de rúcula. "Vocês não fazem ideia da dificuldade de encontrar rúcula decente na Rússia", ele repetia, meio sério, meio brincando, aos camaradas que o provocavam. Em dado momento, porém, o Czar o interrompeu e se voltou para mim.

"Como pode ver, iniciativa é o que não falta a Evgueni. Ele também é um apaixonado por relações internacionais e acredito que possa nos auxiliar em algumas questões que discutimos nos últimos dias, não é mesmo, Gênia?"

Diante dessas palavras, os olhos do dono do restaurante se iluminaram, enquanto Putin continuava: "Seria útil que vocês conversassem, Vádia".

O senhor precisa entender uma coisa: o Czar nunca diz nada abertamente, mas também nunca diz nada por acaso. Se ele se der ao trabalho de sugerir, por exemplo, que seu conselheiro político fale com o dono de um restaurante de São Petersburgo para conversar sobre a política estrangeira russa, por mais absurdo que isso possa parecer, a ideia deve ser levada a sério e colocada em execução.

Naquela noite, Prigojine se contentou em me fazer um convite para o dia seguinte, sem perder o ar de gângster-mordomo que o caracterizara a noite toda. Na manhã seguinte, porém, quando ele passou para me buscar no hotel, entendi na mesma hora que ele era mais do que um simples dono de restaurante. Depois de um breve trajeto de carro, chegamos ao porto, onde por um terrível momento temi que ele quisesse me embarcar num daqueles cruzeiros turísticos que se dão falsos ares de *bateau-mouche* parisiense. Alguém me dissera que Prigojine também tinha interesses nessa área. Felizmente, subimos num helicóptero. "Minha casa não fica muito longe, mas sei que você não tem tempo a perder, Vadim Alexeievitch: chegaremos mais rápido assim."

Naquela hora, vista de cima, com as fachadas feéricas dos palacetes que davam para os canais, o reflexo das cúpulas e todas as ilhas espalhadas pelo Neva, a velha capital brilhava como uma máscara mortuária de mármore e diamantes abandonada ao sol. Para acompanhar o espetáculo, Prigojine narrava a epopeia de sua relação com o Czar. Fora Putin quem, na época em que fora assessor do prefeito de São Petersburgo, no início dos anos 1990, concedera a Prigojine e a um grupo de associados a licença para a abertura do primeiro cassino da cidade. Não devia ter sido um mar de rosas, dada a época e o tipo de atividade, mas tudo levava a crer que Prigojine se dera bem. Ali começara uma ascensão que o Czar acompanhara com sua infalível benevolência.

A brevidade do voo não me deu tempo de aprofundar a questão. Depois de apenas cinco minutos, começamos as manobras de pouso em Kamenny Ostrov. Eu tinha ouvido falar daquele lugar, mas pensei que as pessoas exageravam ao dizer que em Petersburgo alguns amigos do Czar tinham comprado uma ilha, onde viviam como aristocratas da época imperial, em palácios cobertos de estuque e ouro, e que organizavam festas a fantasia nas quais se apresentavam vestidos de cortesãos de Alexandre III. Diziam até que um deles aproveitara para mandar desenhar suas próprias insígnias nobiliárquicas, com profusão de flores-de-lis e leões heráldicos. Contemplando de cima as minuciosamente restauradas mansões dos antigos funcionários do Império, as piscinas, as quadras esportivas, as gigantescas garagens, o fosso que cercava a ilha e as guaritas de segurança, os SUV e os helicópteros, entendi que, como costuma acontecer na Rússia, a realidade mais uma vez superara a ficção.

"Não sou um intelectual como você, Vadim Alexeievitch. Mas aprendi duas ou três coisas na vida."

Prigojine se instalara confortavelmente numa pretensa poltrona Luís XVI com braços dourados. Em torno dele, os móveis de design escandinavo, os leões enfurecidos e os candelabros Murano se refletiam no mármore branco e nas imensas janelas envidraçadas que davam para o Neva. O decorador uzbeque fizera um bom trabalho.

"Você sabe o que é um cassino? Um monumento à irracionalidade dos homens. Se os homens fossem criaturas racionais, os cassinos não existiriam. Por que diabos alguém deveria aceitar colocar dinheiro numa coisa onde todas as probabilidades estão contra ele? Graças a Deus, os homens não são criaturas racionais, caso contrário eu não teria nada disso."

Prigojine fez um gesto vago para a telas pintadas ao estilo Basquiat e para o Steinway branco.

"Não há nada mais sensato que apostar na loucura dos homens.

– Exatamente, Vadim Alexeievitch. Sabe por que algumas pessoas perdem tudo nos cassinos? E caem numa espiral da qual não conseguem mais sair? É uma questão de temperamento, é claro, não acontece com todo mundo. Essas pessoas não são monstros, elas não conseguem se controlar. Mas esse vício do cérebro está em todos nós."

Prigojine se interrompeu. Ele tirou a carteira do bolso do casaco e pegou uma nota de cinco mil rublos.

"Veja isso. Tente fazer uma experiência na rua, com um pedestre qualquer. Ofereça-lhe esta nota, ou uma chance de 50% de ganhar duas. Sabe o que ele fará? Vou lhe dizer: ele pegará a nota de cinco mil. Depois tente fazer o contrário. Peça a um passante para lhe dar cinco mil rublos ou jogar cara ou coroa para saber se deve lhe dar duas notas ou nenhuma. Sabe o que ele fará dessa vez? Para não ter que desembolsar imediatamente os cinco mil rublos, ele preferirá correr o risco de lhe dar o dobro. É absurdo, não? Teoricamente, quem ganha pode se permitir um risco, em relação ao que perde. Mas as pessoas fazem exatamente o contrário. Os que ganham são mais prudentes em suas escolhas, enquanto os que perdem apostam no tudo ou nada."

Eu via um Prigojine vencedor; começava a entender aonde ele queria chegar.

"O cérebro humano está cheio dessas pequenas falhas. Conhecê-las e tirar proveito de sua existência é o trabalho de quem gerencia um cassino. Mas é assim que funciona a política, não? Enquanto estamos confortáveis, temos um trabalho seguro, uma bela família, uma casa no campo, tiramos férias à beira-mar, uma aposentadoria em vista, ficamos tranquilos. Fazemos escolhas prudentes, não queremos correr riscos. Escolhemos o que conhecemos. Mas digamos que as coisas comecem a piorar. A situação muda, o sujeito perde o emprego, perde a casa, não consegue mais ver o futuro. O que ele faz? Age com prudência? Absolutamente: ele começa a apostar como um louco! Ele prefere o risco desconhecido à continuação de sua situação atual. É nesse ponto que tudo muda: o caos se torna mais atraente que a ordem, ele ao menos oferece a possibilidade de algo novo, não? Uma reviravolta... Aí é que as coisas se tornam interessantes. A revolução de 1917 e o nazismo, por exemplo, nasceram assim, ou estou enganado? Porque uma maioria de pessoas preferiu se atirar de cabeça no desconhecido a ter que continuar vivendo como antes."

Prigojine se alçava a píncaros filosóficos, mas suas palavras estavam longe de ser desinteressantes.

"Como eu estava dizendo, não sou um intelectual nem um especialista em relações internacionais, mas tenho a impressão de que voltamos a esse mesmo ponto. Os ocidentais pensam que seus filhos viverão pior do que eles. Eles veem a China, a Índia e, graças a Deus, a Rússia, dando passos de gigantes e eles, nada. Cada dia que passa, o poder deles diminui, a situação foge do controle, o futuro não lhes pertence mais.

– Eles estão prontos para as escolhas mais absurdas. Só precisamos ajudá-los nesse sentido.

– Exatamente, Vadim Alexeievitch. Não se trata de vencê-los ou subjugá-los, apenas de acompanhar um movimento que já começou. O Czar entendeu isso muito bem. Como eu, ele é um fã de judô e conhece a regra básica: utilizar a força do adversário contra ele."

O raciocínio de Prigojine era impecável. Faltava apenas encontrar-lhe uma aplicação prática. Mas eu já tinha uma ideia nesse sentido.

Voltamos a nos encontrar algumas semanas depois, à frente de um prédio qualquer da periferia de Petersburgo. Uma chuva suburbana destacava o lado sórdido do lugar, mas Prigojine parecia de excelente humor.

"Este é o lugar de que lhe falei, Vadim Alexeievitch, você vai ver..."

Pegamos o elevador e entramos numa grande sala cheia de computadores, metade redação de jornal, metade *trading room* de um banco de investimentos de segunda categoria. Com a diferença de que, numa parede, Prigojine mandara instalar dois caça-níqueis – para não esquecer o espírito do lugar, ele me disse. Por que não? Nos escritórios da Google, se não me engano, havia mesas de pingue-pongue.

Veio a nosso encontro um rapaz atlético e sorridente, com uma camisa de colarinho fechado e um paletó de veludo cotelê, como se estivesse prestes a apresentar um seminário de terceiro ano na universidade de Georgetown.

"Este é Anton", me disse Prigojine, visivelmente orgulhoso de seu achado. "Pensei nele para dirigir a redação. Ele tem um doutorado em relações internacionais na universidade de Moscou, fala inglês, francês e alemão. Ele sabe mais de política europeia do que a maioria de nossos deputados."

Anton ouvia tranquilamente. Sua expressão não revelava nem orgulho nem falsa modéstia. Começamos a falar de tudo e nada. Decidi testá-lo a respeito da situação interna de alguns de nossos parceiros europeus. Anton não apenas era brilhante como achei-o simpático. Não havia nele nenhum sinal da arrogância que parecia afligir todos os membros de sua geração hiperprotegida. Pelo contrário, ele tinha o jeito franco que é a prova das inteligências realmente superiores. Seu olhar sobre as atualidades internacionais era mais afiado que uma faca de caça. Ele entrava no detalhe das situações sem nunca perder de vista o quadro geral.

Prigojine olhava para ele com ternura. Seu protegido o honrava. Depois de alguns minutos, eu já tinha ouvido o suficiente. Despedi-me de Anton, apertando sua mão, e puxei Prigojine para um canto. Eu estava perplexo com sua estupidez.

"O que você tem na cabeça, Evgueni?"

O rosto de Prigojine se anuviou.

"Algo errado, Vadim Alexeievitch?

– No que estava pensando, Evgueni? Pensei ter sido claro: queremos fazer política na Europa e nos Estados Unidos. Participar do debate, dar nossa contribuição. E você me traz esse garoto?"

Ele fez um gesto na direção de Anton.

"Mas ele é muito bom. Sabe tudo.

– Justamente, Evgueni, o problema é esse."

Prigojine arqueou as sobrancelhas com tanta estupefação que caí na gargalhada.

"Pense, Evgueni: os ocidentais não se interessam mais por política. Se quisermos chamar a atenção, precisaremos falar de tudo menos de política. Não queremos Anton aqui! Queremos jovens dando conselhos de beleza, astrólogos, apaixonados por jogos eletrônicos, esse tipo de coisa, entende?

– Mas em algum momento teremos que passar nossa mensagem, não? Vocês nos passam as instruções...

– Mas quem você acha que somos, o Komintern? Sinto ser portador de más notícias, mas informo-lhe que a União Soviética acabou e que não existe nenhum paraíso da classe operária no horizonte. Essa época terminou para sempre. Já não temos uma linha, Evgueni, apenas arame."

Seu olhar desnorteado me convidou a continuar.

"Como você faz quando quer partir um arame? Você o torce para um lado, depois para o outro. É o que faremos, Evgueni. À medida que for construindo sua rede, você se dará conta de que há temas aos quais as pessoas se apegam mais que tudo. Não sei quais. Os cliques dirão, Evgueni. Talvez um seja contra as vacinas, outro contra os caçadores, contra os ecologistas, contra os negros, contra os brancos. Pouco importa. O essencial é que cada um tenha algo que lhe seja muito importante e alguém que o enraiveça.

"Não queremos converter ninguém, Evgueni, apenas descobrir no que eles acreditam e convencê-los ainda mais, entende? Divulgar notícias, argumentos verdadeiros ou falsos, não importa. Fazer com que fiquem enraivecidos. Todos. Cada vez mais. Os defensores dos animais de um lado e os caçadores do outro. Os Black Power de um lado e os supremacistas brancos do outro. Os ativistas gays e os neonazistas. Não temos preferência, Evgueni. Nossa única linha é o arame. Nós o torcemos para um lado e para o outro. Até que ele se rompa."

Prigojine me observou por um bom tempo sem falar. Estava refletindo.

"Está bem, Vádia, entendi. A linha do arame. Mas o que vai acontecer quando nos pegarem? Porque você sabe o que vai acontecer, não é mesmo? Na rede, tudo pode ser rastreado. E nós estaremos jogando no campo deles. Cedo ou tarde, eles vão perceber. E seremos tratados pior do que cães.

– Pelo contrário, Evgueni, será o momento de nosso triunfo."

Silêncio.

"Você não entende? O último gesto do grande artista é a revelação da contradição! Eles esperam que incitemos nossos simpatizantes e os grupos antiamericanos, não é mesmo? Mas o que farão quando se derem conta de que também influenciamos os adversários desses grupos? Os patriotas da segunda emenda que querem usar rifles automáticos até no banheiro. Os veganos que prefeririam beber cicuta do que um copo de leite. Os jovens que querem salvar o mundo da catástrofe ecológica. Ouça o que estou dizendo. Eles vão enlouquecer, não vão entender mais nada. Não saberão mais no que acreditar! A única coisa que entenderão é que entramos dentro de suas cabeças e brincamos com seus circuitos neuronais como se fossem um desses seus caça-níqueis!"

Um sorriso finalmente se desenhou no rosto de Prigojine, ele começava a entender.

"É por isso que a principal função desse lugar é ser descoberto, Evgueni, justamente. Ser pego. Você realmente acredita que uma centena de garotos num lugar como este podem mudar o curso da história? Claro que não, Evgueni, por melhores que eles sejam, isso não vai acontecer. Eles vão apenas liderar o caos. Talvez eles consigam aumentá-lo um pouco, mas a raiva que eles despertarão para fazer isso já existe, e o algoritmo que a governa foi criado pelos americanos, não pelos russos. Em tudo isso, seremos no máximo os azarões. Mas seremos pegos em flagrante! Assim, em toda parte, nossos maiores propagandistas serão aqueles que nos acusarem de conspirar contra a democracia, na Europa e nos Estados Unidos. Eles é que construirão o mito de nossa potência. Nós apenas nos comportaremos de maneira suspeita e publicaremos alguns desmentidos pouco plausíveis. Será suficiente para confirmar seus piores pesadelos: 'Os russos são os donos secretos do novo mundo!'. E essa fantasia aumentará o caos. Assim, nossa potência passará da lenda para a realidade. Esse é o lado bom da política, Evgueni: tudo o que faz as pessoas acreditarem na força a aumenta de verdade."

25

Berezovsky avançava como um dinossauro entre as luzes do Claridge's. Uma girafa ligeiramente embriagada num tailleur Céline se virou para observá-lo melhor. E até um americano que passava pareceu notar a incongruência daquela presença pré-histórica entre os mognos e cristais resplandecentes. A menos que o tenha reconhecido. De tantos escândalos e provocações, Boris se tornara um rosto familiar entre as casas georgianas de Mayfair. Adquirimos o hábito de nos ver quando eu passava por Londres. Fazia muito tempo que eu já não levava nenhuma mensagem para ele. E, talvez por causa disso, o simples prazer de passar algumas horas juntos acabou se tornando a única justificativa de nossos encontros. Em todo caso no que me diz respeito. Como acontece com as pessoas inteligentes que perdem o poder, Berezovsky se tornara se não mais sábio, ao menos mais lúcido. Lembro que naquela noite elogiei seu impecável sotaque *british*.

"O que você queria, seus ancestrais falavam francês e se refugiavam em Paris, o russo moderno fala inglês e se sente à vontade em Londres!"

Ele me dirigiu um sorriso um pouco triste, mas de repente mudou de expressão.

"Não acho que os ingleses sejam sempre fáceis. Na semana passada estive no escritório de um banqueiro para assinar um contrato com o irmão do xeique de Abu Dhabi. Começamos a pegar nossos papéis e quer saber o que o funcionário do banco fez? Pediu a carteira de identidade ao xeique. O xeique olhou em volta e se virou para os assessores: ele não costuma sair com a carteira. Tentei intervir, mas o funcionário era um desses imbecis intransigentes que de vez em quando encontramos por aqui.

"Fiquei com medo que o xeique se ofendesse e desistisse do negócio. Mas sabe o que ele fez? Ele pediu uma cédula a um assistente e a estendeu ao banqueiro. O funcionário olhou para ele, atônito: 'O que está fazendo? Tentando me subornar? Talvez possa fazer isso em seu país, mas aqui estamos na City'. 'Olhe bem para a cédula', disse o xeique. 'Meu rosto está impresso nela. Espero que isso seja suficiente como documento'. Todos caíram na gargalhada e no fim o imbecil precisou ceder."

Graças aos céus, a capacidade que Boris tinha de divertir seus ouvintes e se autocelebrar ao mesmo tempo permanecera intacta. Infelizmente, suas obsessões também.

"Como vão as coisas nos Jogos Putinianos?

– Os preparativos para os Jogos Olímpicos vão muito bem, obrigado. O presidente teve a bondade de me confiar a cerimônia de abertura. Haverá um grande espetáculo antes do início das provas.

– Mmm... Que bom... Espero que vocês também tenham previsto uma medalha para o melhor puxa-saco. E para o melhor assassino do Departamento Central de Inteligência.

– Não sei, Boris, talvez. O importante é que a Rússia chegue na frente.

– Quanto a isso, não vejo problema, tenho certeza que vocês encontrarão uma solução, como sempre."

Berezovsky fez uma pausa e continuou. "Ele não vai parar nunca, não é mesmo? As pessoas como ele não conseguem. Essa é a primeira regra. Perseverar. Não corrigir o que já deu certo, mas acima de tudo nunca admitir os erros. No início, não entendi isso, mas agora tive tempo de pensar a respeito. Também li pilhas de livros sobre os ditadores do passado. Por exemplo, você sabe o que Mobutu fez ao tomar o poder no Congo? Ele rebatizou o país de 'Zaire', porque pensava que era um termo nativo, uma maneira de se libertar da herança colonial. Depois, em dado momento, descobriu-se que Zaire é uma palavra portuguesa. Então o que ele fez? Pediu perdão e voltou atrás? Até parece! Ele chamou de Zaire todo o resto: as cédulas bancárias, os cigarros, as bombas de gasolina, até os preservativos, pelo que sei... Seu Czar é a mesma coisa, exatamente a mesma coisa: um autocrata, um líder de tribo africana!

– Talvez, Boris, mas não se trata de barbárie: são as regras do jogo. A primeira regra do poder é perseverar no erro, não revelar nenhuma rachadura no paredão da autoridade. Mobutu sabia disso porque vinha de uma região onde o líder era morto se caísse do cavalo. E estrangulado se ficasse doente. O líder deve ser forte se quiser ter condições de proteger sua tribo. No momento em que demonstrar fraqueza, ele será abatido e substituído por outro. É a mesma coisa em toda parte. Mas, dependendo de onde estiver, o líder deposto pode ser empalado vivo ou enviado para o outro lado do mundo para dar conferências de cem mil dólares."

Berezovsky assumiu um ar pensativo, que combinava com os reflexos escuros do bar.

"Você tem razão, Vádia, mas lembre-se de que em política não existe *happy end*. Até o Rei-Sol tinha, no fim da vida, terríveis crises de choro.

– O que posso dizer, Boris, a vida é uma doença mortal.

– Justamente, Vádia. E por isso é preciso saber o momento de parar com asneiras. Sempre pensei que entre as coisas que a política tinha em comum com a máfia estava o fato de que ninguém se aposentava. Ninguém pode se aposentar e começar a fazer outra coisa. Até que me deparei com Johnny Torrio. Você conhece, Vádia, a história de Johnny Torrio?"

Fiz que não com a cabeça. Eu tinha uma ideia de como seria a enésima parábola de Berezovsky, embora naquele momento eu não pudesse saber que seria a última.

"Ele foi o presidente do conselho de mafiosos de Chicago, logo depois da guerra, um verdadeiro *boss*, respeitado por todos. Mas sob suas ordens havia um sujeito que queria tomar seu lugar e que se chamava Al Capone. Então, em 1924, numa tarde de janeiro, por volta das cinco horas, Johnny Torrio, presidente do conselho de mafiosos de Chicago, foi atingido por cinco tiros e desabou na frente de sua casa. Levado para o hospital, ele disse à polícia: 'Sei quem foi, mas não sou delator'. Assim que melhorou, Torrio mandou chamar Al Capone, passou-lhe as chaves do negócio e disse que queria voltar para a Itália. Resultado: viveu mais quinze anos, pela graça de Deus, e morreu tranquilamente em casa, no Brooklyn."

Boris ficou em silêncio por um momento, depois tirou um envelope do bolso.

"Esta carta é para o Czar. Escrevi-a com o coração. Pode lê-la, se quiser."

Sob meus dedos, o papel, feito à mão, tinha a consistência de uma folha de algodão. Era um apelo à caridade cristã do Czar. "Suplico-lhe que me conceda seu perdão de cristão", implorava Berezovsky. Depois havia alusões patéticas à morte que se aproximava, à dureza do exílio, a um velho imbecil que, ainda que consciente de seus erros, pedia, confiando na magnanimidade do soberano, o reconforto de poder passar seus últimos dias nos braços da pátria mãe. Não tinha o tom da carta de Zamiátin a Stálin. Era antes uma súplica dirigida ao Czar, no puro estilo de uma tradição secular. Ainda que, numa passagem discreta, Boris não tenha resistido à tentação de mais uma vez se oferecer como conselheiro, "com base na experiência que acumulei, se você julgar útil, Vladimir Vladimirovitch".

"Acha que vai dar certo?"

Seu olhar de velho patife tinha um brilho que se queria irônico, mas nele se percebia um desespero sem fim. Eu gostaria de lhe dizer que sim, que o Czar ficaria comovido e que logo nos veríamos lado a lado na tribuna de honra para assistir à abertura dos Jogos Olímpicos. Mas eu já podia ver Berezovsky esquecendo tudo o que dissera e, em poucos dias, voltando a reclamar, fazer sugestões, querer espaço. Eu sentia falta de sua energia. Ele não era um santo, mas em tudo que fazia havia uma espécie de alegria. Depois que seus semelhantes tinham sido banidos, restara em Moscou apenas a desanimada determinação dos homens da força. Mas eu sabia que o Czar não sentia sua falta, muito pelo contrário. Boris lera a resposta em meus olhos, mas não estava pronto para aceitá-la.

"Bom, entregue-a mesmo assim, acho que vai funcionar."

Naquela noite, nos despedimos com um abraço à russa, bem demorado, que acabou perturbando a atmosfera rarefeita do Claridge's. Subi para o meu quarto tomado por uma curiosa sensação de derrota. No fim das contas, ao contrário das previsões, o velho leão aceitara a boina do motorista de táxi; provando mais uma vez que a fraqueza que não conhecemos, mas que talvez suspeitemos, está à espreita, como um réptil dentro de um arbusto, e que ela pode surgir até o último momento, mesmo quando pensávamos ter vivido sem nunca curvar a cabeça.

Dois dias depois de nosso encontro, Berezovsky foi encontrado morto no banheiro de sua casa em Ascot, enforcado com sua echarpe de caxemira preferida.

26

"*O problema não é que o homem seja mortal, mas que ele seja repentinamente mortal.*"

Em qualquer outro momento eu teria ficado encantado que o Czar se desse ao trabalho de desenterrar Bulgákov para mim. Mas naquele dia eu não estava em condições de apreciar citações literárias. Putin, obviamente, não percebeu.

"Acha mesmo que fomos nós?"

O rosto do Czar era uma placa de granito. Olhei em volta. Eu detestava a desolação oficial que reinava em Novo-Ogariovo, mistura de falsa intimidade e autêntico mau gosto, como se alguém tivesse confiado ao chefe de segurança do Kremlin a tarefa de mobiliar a residência do presidente que ficava às portas de Moscou. Aliás, não se podia descartar que as coisas tivessem acontecido assim. Em tempos normais, os lampadários de bronze e as paredes cobertas de tecido adamascado já me deixavam triste, então imagine meu estado de espírito naquela manhã, com as páginas dos jornais cheias de informações sobre a morte de Boris e sua última e inútil súplica ardendo no bolso interno de meu paletó como uma ferida aberta.

"Não acho nada, presidente.

– E está certo em não achar, Vádia."

O Czar esperou alguns instantes para que o sentido profundo de sua advertência atravessasse a barreira cortical e penetrasse em meu cérebro. Então continuou, num tom mais mundano: "De todo modo, a verdade é que Berezovsky era muito cômodo para nós. Sempre que ele abria a boca para dizer que depois da queda de Putin ele voltaria, acabava nos ajudando. As pessoas se lembravam dos anos 1990, de todo aquele sofrimento, de todo aquele caos. Bastava olhar para ele".

Como eu seguisse em silêncio, Putin continuou. "Claro, ele ajudava os inimigos da Rússia em toda parte, na Ucrânia, na Letônia, na Geórgia, é verdade. Quem sabe o que realmente aconteceu. Os conspiradores se acreditam muito espertos, Vádia, mas são muito ingênuos. Eles gostariam que tudo tivesse um sentido oculto e subestimam sistematicamente o poder da imbecilidade, da distração, do acaso. Ainda bem: ao contrário do que eles gostariam, os conspiradores nos dão mais força. Quando, em vez de vermos o poder pelo que ele é, com suas fraquezas humanas, lhe conferimos uma aura de entidade onisciente, capaz de urdir não sei que trama, fazemos-lhe o maior elogio possível, você não acha? Fazemos com que o considerem maior do que ele é.

– '*Já que esses mistérios nos ultrapassam, façamos de conta que somos nós a organizá-los*'."

O Czar detestava minhas citações e não falava francês, mas naquela manhã eu não estava com humor para agradar a ninguém. Ele me encarou em silêncio e decidiu me ignorar.

"Foi a mesma coisa nos outros casos: o coronel, o advogado, aquela jornalista famosa. Você sabe muito bem que não fomos nós, Vádia. Nós não fazemos nada: criamos condições para uma possibilidade."

Talvez fosse verdade. Por muito tempo, foi muito raro o Czar dar ordens diretas. Ele se limitou a fixar limites, o que era permitido e o que não seria tolerado. Depois o jogo seguia sua própria lógica, até as consequências mais extremas, que também constituíam sua verdade mais profunda. Era justamente sobre isso que eu tinha falado alguns dias antes com Berezovsky. Uma coincidência cuja ironia não me dava vontade de sorrir. Ela teria me dado vontade de chorar, se eu fosse capaz. Pensar no velho bandido, que queria apenas terminar seus dias como Johnny Torrio, me comovia muito mais do que eu imaginaria. Pobre Borya, ele teria merecido.

À minha frente, o Czar leu a carta de Berezovsky. E a soltou, imperturbável, como uma pedra juntada no fundo de uma correnteza. Eu me dei conta, naquele momento, que Boris acertara também naquele ponto. Putin não era um grande ator, como eu pensava, apenas um grande espião. Trabalho esquizofrênico que requer, sem dúvida, qualidades de ator. Mas o verdadeiro ator é extrovertido, seu prazer de comunicar é real. O espião, em contrapartida, precisa saber bloquear todas as emoções, se é que as tem. Na prática, esses dois talentos lhe servem, ele precisa simular a empatia do ator e ter a frieza do cirurgião na sala de operações. Mas se Putin não era um grande ator, eu também não era um grande diretor, no máximo um cúmplice.

Naquele dia, em vez de se deter sobre o destino de Boris, o Czar desviou a conversa para os preparativos dos Jogos Olímpicos de Sóchi, sua obsessão à época. Para convencer o Comitê Olímpico a organizar os jogos de inverno numa cidade subtropical, sem a menor infraestrutura esportiva ou de transporte, Putin mobilizara toda a potência da Rússia do presente e também um pouco da fantasia manipuladora de seu passado. Em certo momento, por ocasião da visita dos inspetores olímpicos, como Sóchi não tinha aeroporto, inventamos um, com estudantes fantasiados de turistas consultando as telas de partidas e chegadas cheias de voos inexistentes. Potemkin teria ficado orgulhoso de nós.

Quanto mais nos aproximávamos da data de abertura, mais o Czar tinha dificuldade de falar de outra coisa. Estava claro que ele considerava os Jogos o apogeu de seu reinado. E devo admitir que a chance de participar, organizando a cerimônia de abertura, me fascinava. O círculo finalmente se fechava. Eu vinha do teatro e tinha passado a dirigir a realidade. Não posso dizer que tenha me saído mal. Agora me pediam para levar ao palco a realidade que eu ajudara a construir. Dessa vez, porém, não seria num pequeno teatro de vanguarda, mas numa arena imensa, para um público planetário.

Era a ocasião que eu esperava. De tanto encarnar o demiurgo, eu entrara num beco sem saída. O que eu queria, agora, era voltar para trás, restabelecer uma relação com tudo o que eu encontrara de belo no mundo. Pediam-me para colocar a Rússia em cena, a grandeza trágica de sua história, a pungente beleza de suas letras e de seus cantos? Eu a transformaria numa história pessoal, reatando os laços rompidos com minha família, que eram, aliás, os laços rompidos de todas as famílias russas.

Nossa geração assistira à humilhação de seus pais. Pessoas sérias, conscienciosas, que tinham trabalhado duro a vida toda e que, nos últimos anos, estavam mais perdidas que um aborígene australiano tentando atravessar uma autoestrada. Isso valia para os filhos da *nomenklatura*[*] e para todos os outros. Nós tínhamos visto nossos pais, homens fortes, nossos pontos de referência, vagando de olhos esbugalhados, incrédulos diante do desmoronamento de tudo aquilo em que eles tinham acreditado. Nós os vimos ridicularizados e humilhados, apenas por terem cumprido seu dever. Nós, aliás, é que os ridicularizamos e humilhamos. Todos nós, acredito, fomos mortalmente atingidos por essa cena. Nós a produzimos e fomos atingidos. Ninguém pôde, depois disso, manter a consciência limpa. Tratava-se, agora, de fazer-lhes justiça. A eles e aos pais deles, que eles também tinham humilhado, porque a Rússia está eternamente condenada a recomeçar.

Ao longo dos anos, o Czar retomara com paciência o fio da história russa para tentar lhe dar coerência. A Rússia de Alexandre Nevski, a Terceira Roma dos patriarcas, a de Pedro, o Grande, a Rússia de Stálin e a Rússia de hoje. Essa tinha sido a grandeza de Putin, mas ele depois cedera à tentação de encontrar, na continuidade da força, a trama que procurava; uma intriga desprovida de luz, mas não de grandeza, que começava nos oprichniks de Ivã, o Terrível, passava pela polícia secreta dos czares e pela Tcheka de Stálin, e chegava aos Sechin e aos Prigojine de hoje.

Tendo em vista suas origens, o Czar talvez não pudesse fazer outra coisa. Mas os homens da força não tinham contribuído em nada para a beleza do mundo, suas histórias não eram feitas para ser contadas, mas caladas. Nas mãos deles, tudo o que a história russa tinha de trágico e maravilhoso aparecia sob uma luz lívida, como uma sucessão

---

[*] Designação da "burocracia", ou da "casta dirigente" da União Soviética. [N.E.]

ininterrupta de abusos e sacrifícios. E agora nos pediam para contar de que maneira nossa história contribuíra para aumentar a beleza do mundo. Algo de que os Sechin e Prigojine não tinham a menor ideia. Temo que nem o próprio Putin saberia por onde começar.

Eu, ao contrário, acreditava saber. Acima de tudo, sabia onde procurar: nas prateleiras da biblioteca de meu avô, em seus contos de caça, dentro dos romances que meu pai relera nos últimos meses de vida e na complicada genealogia de loucos e artistas de que Ksenia e eu nos alimentávamos quando éramos jovens, quando Moscou se tornara uma nebulosa de mil cores.

Decidi recorrer a meus amigos da época. Muitos não responderam, alguns não quiseram se curvar ao sistema, outros teriam ficado felizes de fazê-lo mas não para uma megaprodução que, segundo eles, se anunciava como o suprassumo do mau gosto. A dimensão da coisa impunha o uso de certos meios expressivos, sem dúvida: o kitsch é a única forma de linguagem possível quando queremos nos comunicar com as massas, porque ele simplifica tudo e não tem nuanças. Mas não estava escrito em nenhum lugar que o kitsch não podia ser moldado e dobrado para meus fins.

Começamos a trabalhar. Os fundos eram ilimitados. O Czar não pouparia despesas para disseminar sua grandeza pela superfície do globo. Pegamos os melhores de todas as categorias e começamos a nos divertir de verdade. Os figurinistas que vestiram nossos personagens se inspiraram na tradição, mas também nos croquis de um estilista japonês. Os coreógrafos colocaram em cena a era stalinista, de maneira grandiosa, graças às ideias construtivistas que o Pequeno Pai abominava. O amplo *open-space* que eu tinha preparado para a equipe de criadores – bem na frente dos muros do Kremlin, para poder visitá-lo o máximo possível – me lembrava de meus dias de produtor de televisão. Alguns rostos que o povoavam eram os mesmos, apenas quinze anos mais velhos. E mesmo os outros, os jovens que nos acompanhavam, tinham um ar familiar. A experiência me ensinara a esquadrinhar os rostos com óculos de aros grossos, as camisetas desbotadas e os relógios de quartzo dos anos 1970 em busca do menor vestígio de real valor. Todos os nossos jovens colaboradores tinham em comum a centelha que distingue o verdadeiro talento da ignóbil massa de criadores de aperitivo, ainda que, vistos de fora, é preciso admitir que era difícil distingui-los dos jovens mimados que se reuniam nos bistrôs do centro de Moscou para planejar *flashmobs* em apoio aos opositores do Czar. Seus cabelos desgrenhados e seus casacos de veludo violeta destoavam entre os frequentadores dos salões do Kremlin. Posso entender que, depois de algum tempo, o ministro da Cultura, porta-estandarte dos valores tradicionais, a quem fora atribuída a supervisão dos preparativos, tenha começado a demonstrar alguns sinais de nervosismo. Como a maioria dos outros cortesãos, ele sempre reservara um olhar maldoso a minhas atividades, que às vezes cruzavam com as suas, passando por cima delas e quase sempre contradizendo-as. Esse grupo de subversivos de todo tipo, ele pensava, não produziria nada de bom. E esse Baranov, ele se perguntava, manipula o grupo ou é um deles?

Enquanto minha relação com o Czar parecesse inatacável, não haveria muito a fazer, mas agora que ela começara a ruir – nada escapava às antenas hipersensíveis dos cortesãos –, talvez fosse o momento de intervir. Quando soube que alguns de nós tinham decidido fazer com que uma música do Daft Punk fosse interpretada pelo coro do Exército Vermelho, o ministro decidiu recorrer a Sechin. Por isso me vi de novo no gabinete do Czar.

De sua posição habitual, de pé ao lado de Putin, que estava sentado à escrivaninha, Sechin não perdera tempo.

"Vádia está transformando a cerimônia numa farsa. Ele chamou todos os seus amiguinhos de Moscou, que se divertem nos fazendo de idiotas."

Desde sempre, Igor apresentava sua total ausência de senso de humor como uma marca de confiabilidade. O Czar respondeu em tom distraído. "E o que podemos fazer, Igor? Nosso Vádia é um acrobata. Artista entre banqueiros, banqueiro entre artistas, nunca conseguimos alcançá-lo, porque ele está sempre em outro lugar."

Sechin me encarou como um dentista a ponto de infligir grande dor. "Cuidado, Vádia, cedo ou tarde você pode escorregar do trapézio e se esborrachar no chão."

Em certo sentido, ele tinha razão, mas eu ainda não estava disposto a ceder.

"Me diga uma coisa, Igor, você não tem nenhum traidor da pátria para empalar? Porque aqui estamos trabalhando num espetáculo, sabia? O maior espetáculo jamais visto."

Sechin olhou para mim, estupefato. Fazia anos que ninguém ousava falar com ele naquele tom, com exceção do Czar. Ele ficou tão surpreso que não conseguiu nem mesmo se enraivecer.

O Czar parecia achar graça. Ele sempre gostava quando seus subordinados entravam em conflito. Dirigi-me a ele novamente.

"Senhor presidente, três bilhões de pessoas verão o espetáculo. A grande maioria não sabe nada de nosso país.

Elas sabem apenas que antes havia os vermelhos e que hoje não mais. E só, inútil ter ilusões sobre isso. Temos duas horas para apresentar a nossa Rússia. Aquela que construímos e aquela que queremos. Podemos mostrar um país avançado, sem complexos, que integra e reflete o mundo, que o influencia e é influenciado por ele. Uma Rússia aberta, segura de si mesma, que comove com a grandeza de seu destino, mas também é capaz de fazer sorrir, porque o mundo de hoje também precisa de uma dose de humor. Ou, é claro, podemos distraí-los por duas horas, com as babushkas de roupas típicas e os coros militares de Igor."

Putin tem seus defeitos, mas não podemos dizer que ele não seja capaz de avaliar as pessoas pelo que elas são, e principalmente pela maneira como elas podem ajudá-lo a alcançar seus objetivos. Em qualquer outro âmbito, ele teria escolhido Sechin. Mais confiável, mais obediente e mais eficaz. Mas, para montar um espetáculo para o mundo, ele teve o bom senso de preferir a mim. Sem sombra de dúvida, aquela seria a última vez, Sechin daria um jeito para que aquilo não se repetisse. Mas o importante, naquele momento, era terminar o trabalho.

Durante esse período, aproveitei os favores de que gozava para obter do Czar uma última concessão, muito importante para mim: a libertação de Mikhail. A ideia de que Ksenia tivesse voltado para mim porque ele estava fora de combate me atormentava. Eu precisava me medir com ele, com armas iguais. Eu agora sabia que podia fazê-lo. Eu já não era o eterno estudante que se escondia atrás dos livros para evitar enfrentar a vida: eu tinha parado de mentir, tinha saído para o mundo e matado meu primeiro ganso, e muitos outros depois desse, estava no auge de minhas forças. Ksenia sentira isso. Por isso voltara para mim. E por isso continuaria a meu lado. A saída de Mikhail da prisão era o elemento que faltava para fechar também aquele círculo.

Os argumentos a favor de sua libertação eram numerosos. Depois do primeiro processo, ele cumprira sua pena no campo de Krasnokamensk, numa paisagem marciana de colinas de poeira vermelha, na fronteira entre a Sibéria e a China. Lá, ele dera provas de bravura e dignidade. Talvez fosse apenas presunçoso demais para ser tão corajoso. Uma vez, fizera greve de fome para reivindicar cuidados para um ex-colaborador de sua empresa, soropositivo, preso junto com ele. Depois de dez dias, o procurador fora obrigado a ceder. Outra vez, conseguira obter melhores condições de trabalho para os companheiros de cela que passavam o dia nas oficinas de costura do campo.

Agora, sua mãe estava doente – os médicos lhe davam no máximo um ano de vida. Era preciso demonstrar humanidade. O Czar tinha consciência disso. Os russos gostam de ser guiados por homens implacáveis, mas de tempos em tempos apreciam os gestos de clemência. Além disso, mesmo para ele, no fundo era uma questão de autoconfiança. Depois de passar anos consolidando seu poder ilimitado, o Czar não se sentia forte o suficiente para demonstrar magnanimidade diante de um adversário que, aliás, se revelara digno de seu respeito?

Obviamente, eu não podia formular a pergunta nesses termos, mas consegui fazer com que Putin visse a coisa mais ou menos desse jeito. Depois de anos de convívio, eu tinha uma vaga ideia de como influenciar seus processos mentais. Nem sempre funcionava. Mas daquela vez funcionou. Assim, alguns dias antes do início dos Jogos

Olímpicos, o Czar anunciou a libertação de Khodorkovski, como antes dele César perdoara Cláudio Marcelo.

Ksenia foi correndo até a prisão. Ela colocou Mikhail em seu avião, acompanhou-o até Berlim, onde estavam seus pais, e ficou a seu lado por alguns dias, para ter certeza de que ele seria capaz de retomar uma vida normal. Depois, anunciou-lhe que pediria o divórcio.

Talvez pela primeira vez desde que eu a conhecia, Ksenia se comportara exatamente como eu esperava. Ela era uma mulher que teria incendiado uma cidade inteira para se poupar de um único momento de tédio. No entanto, a proximidade dela me proporcionava uma tranquilidade que eu nunca poderia encontrar na companhia de alguém de natureza mais pacífica. Antes de me escolher, Ksenia me traíra e me ferira, assim como ela havia traído e ferido inúmeros outros. Ela não decidira depor as armas por cansaço ou covardia, pelo contrário, mas porque travara e vencera batalhas demais.

Na vida, não basta que duas pessoas se reconheçam, isso precisa acontecer na hora certa, quando as duas estão prontas para celebrar a comunhão silenciosa destinada a uni-las. Estávamos felizes juntos e não menos felizes com o futuro perfeitamente desconhecido à nossa frente. Agora só nos restava acompanhar a cerimônia de abertura, o espetáculo se anunciava grandioso.

27

Homens mascarados entraram em cena repentinamente, desfilando ao ritmo de poderosos tambores que ecoavam na escuridão. Rapidamente, com tochas, eles desenharam uma suástica no centro da arena. Depois, começaram a atirar pedras e coquetéis Molotov contra os policiais. Estes se defendiam como podiam, mas via-se que estavam em dificuldade, e quando os blindados ucranianos chegaram, com suas bandeiras bem visíveis, eles foram eliminados até o último homem. Naquele momento, uma voz familiar começou a bradar nos alto-falantes: "Eternos lacaios da Europa! Escravos espirituais da América! Vocês perverteram a história de seus pais e venderam os túmulos de seus antepassados! Vocês colocaram a Ucrânia a ferro e fogo para realizar o projeto de Adolf Hitler!".

Enquanto isso, duas mãos mecânicas gigantescas, pintadas nas cores da bandeira americana, levantavam uma reprodução do mapa da Ucrânia em chamas. "Para vocês, uma terra estrangeira é mais importante do que a pátria e, por isso, estão destinados a apenas reconhecer a voz de seu líder e a se prostrar diante dele para sempre! Mas não levaram em conta a Rússia!"

Uma falange de patriotas russas irrompe então na arena e começou a lutar contra os nazistas e os militares ucranianos. Clarões, explosões, corpos desabando no chão. O resultado do confronto não é claro, a fumaça e a escuridão não permitem entender quem sai vencedor. Até que, com um ronco potente, os Lobos da Noite, em suas motocicletas, entram em cena brandindo a bandeira russa, enquanto ecoa o hino nacional. O nevoeiro se dissipa, os nazistas jazem no chão num mar de sangue, os alto-falantes transmitem palavras gravadas pelo Czar. "Nacionalistas, neonazistas, russófobos e antissemitas não se detiveram diante de nada para tomar o poder. Eles recorreram ao terror, ao assassinato e a rebeliões. Como puderam pensar que ignoraríamos os desesperados pedidos de ajuda dos cidadãos ucranianos? Não ouvi-los seria uma traição! Porque a Rússia e a Ucrânia não são apenas vizinhas, como dissemos várias vezes, nós somos um só povo! Kiev é a mãe da nação russa. O antigo Rus é nossa fonte comum e não podemos viver uns sem os outros. Fizemos juntos muitas coisas, mas ainda resta muito a fazer, novos desafios a enfrentar. Mas tenho certeza de que superaremos todos os problemas, faremos isso porque estamos unidos! Vida longa à Rússia!"

O espetáculo terminou numa orgia de lança-chamas e vapores industriais, com lasers atravessando as trevas e o barulho ensurdecedor de turbinas cobrindo o heavy metal que vinha das muralhas colossais que cercavam a arena. O vento das montanhas do Leste balançava as bandeiras dos separatistas e o enorme estandarte que dizia: "Onde os Lobos da Noite estão, a Rússia está". Tomado de entusiasmo, um membro da assistência descarregou seu AK-47 para o céu, enquanto os espectadores contemplavam a cena boquiabertos, com o ar aparvalhado dos que perderam temporariamente a audição.

Devo admitir que também fiquei um pouco atordoado. Alguns meses antes, a cerimônia de abertura dos Jogos Olímpicos fora um triunfo. Quadros animados tinham marcado as grandes etapas da história russa, as cúpulas da Catedral São Basílio tinham brilhado sob os olhos encantados do público. Natacha e o príncipe André tinham dançado na corte imperial, e, suspensa no ar sobre um globo azul, uma criança loira soltara o balão vermelho do comunismo. As notas de "O pássaro de fogo" de Stravinsky acompanharam a passagem da tocha olímpica, e o coro do Exército Vermelho cantara "Get Lucky". Naquela noite, eu voltara para o hotel com a sensação de finalmente ter dado um ponto de chegada a minha trajetória. Mesmo que por poucas horas, eu criara um mundo encantador.

Agora eu acompanhava um espetáculo um pouco diferente, que lembrava o set de filmagem de um filme apocalíptico. Grandes candelabros a gás iluminavam intermitentemente uma paisagem lunar salpicada de carcaças de carros na qual se moviam os vultos de centauros metalizados que circulavam lentamente pela arena. Ao fundo, percebiam-se os muros com arames farpados que cercavam o quartel-general dos Lobos da Noite em Luhansk.

"Então, Vádia, o que tem a dizer, gostou do show?"

A voz cavernosa que havia pouco ritmava os melhores momentos do espetáculo se dirigia a mim. Zaldostanov se mudara para Donbass havia algum tempo, na linha de frente da guerra patriótica na Ucrânia oriental. O Czar não podia, obviamente, enviar tropas regulares para invadir um país soberano. Reunimos, então, um estranho exército de mercenários e ex-militares: oficialmente, toda aquela boa gente era composta de voluntários, veteranos do Afeganistão e da Tchetchênia, que tinham decidido usar suas férias para defender os ucranianos russófonos dos nazistas de Maidan. Faltava-lhes a boina de pele de castor e as longas túnicas pretas acinturadas, mas de resto nada os distinguia dos cossacos do século XIX.

Alexandre desempenhava à frente deles o papel de líder carismático. Mais magro e bronzeado, ele parecia em seu elemento. Não fiquei surpreso. Nas fases mais turbulentas, a Rússia sempre produzia homens como ele. Aventureiros, chefes de gangue, personagens que surgiam do nada para tomar as rédeas da história. Alexandre era um deles. Ele amava aquele mundo sem regras, em que as coisas aconteciam e pronto. Seus adeptos o veneravam como se o deus da guerra tivesse se materializado à sua frente. Eles compartilhavam a euforia de empunhar uma arma para conseguir tudo o que lhes era proibido em tempos de paz. Eles usavam óculos de sol e dirigiam veículos *off-road* desemplacados, exibiam barbas e tatuagens, ouviam música a todo volume e carregavam armas semiautomáticas.

Zaldostanov me encontrou nos bastidores do espetáculo que ele montara para celebrar a iminente vitória russa na Ucrânia Oriental. Cumprimentei-o por sua interpretação do deus Thor. Alexandre assentiu com modéstia. Ele se movimentava com gestos precisos: a um sinal de sua mão, uma garrafa de vodca se materializou, dentro de um balde de plástico com gelo, acompanhada de um prato de arenques defumados e algumas fatias grossas de pão preto.

"Alexandre, meu caro amigo, desde que nos conhecemos você sabe que tenho grandes ambições para você. Mas encontrá-lo assim, como um procônsul romano...

– Você sabe o que dizemos, Vádia: 'Aqueles cujo destino é morrer enforcado não se afogam'."

O motociclista entornou um copo de vodca. E continuou: "Mas você, em contrapartida, meu amigo, ouvi falar que se reproduziu. Estava na hora!

– Ainda não, em poucas semanas, se tudo correr bem. Uma menina, se Deus quiser."

Ao que tudo indicava, Zaldostanov falava, em Moscou, com pessoas bem informadas. É verdade que os russos têm muitos recursos quando se trata de encontrar razões para brindar.

"Viu as bandeiras? Não usamos mais as da Federação: já estamos em outra coisa."

Eu, de fato, tinha notado que, durante a apresentação, os motociclistas agitavam antigas bandeiras imperiais com a águia bicéfala, uma obsessão de Zaldostanov.

"Já não somos uma república, Vádia, voltamos a ser um império: conquistamos novos territórios, temos um czar à nossa frente: Sua Majestade Imperial Vladimir Putin!"

Depois, outro brinde: "Obrigado pela visita, Vádia. Eu queria muito falar com você: acho que chegou a hora de fazermos um planejamento das próximas etapas".

Contive um sorriso. Zaldostanov queria fazer um planejamento das próximas etapas: a águia bicéfala devia ter bicado seu cérebro.

"No ponto em que estamos, temos duas possibilidades, acredito. A primeira é a melhor: fazemos como na Crimeia, organizamos um referendo e, em meio ao fervor popular, o Donbass volta a ser uma parte da mãe Rússia. O Czar acrescenta uma nova conquista às anteriores, dando um passo a mais rumo à reconstituição do império...

– E a outra?

– A segunda possibilidade é menos interessante. Mas se não tivermos opção, proclamamos a independência da república de Donbass, vocês a reconhecem em Moscou, talvez mais alguns também, digamos que os bielorrussos e os turcomenes. Criamos nosso governo, nosso Parlamento, enfim, colocamos nossos homens, nos coordenamos para todas as próximas etapas.

– Mmm, acho que vamos precisar optar por uma terceira possibilidade, Alexandre."

Zaldostanov me encarou sem entender.

"Desculpe-me, mas tenho a impressão de que você se deixou levar.

– Mas do que você está falando? Estou aqui, no local, dizendo apenas o que precisamos para consolidar a vitória.

– Justamente, Alexandre. A vitória. Temo que haja um mal-entendido a esse respeito."

Zaldostanov me observava com um ar vagamente hostil.

"Os líderes da milícia local não entendem, eles ainda têm objetivos ingênuos como a vitória. Mas você não é tão estúpido, Alexandre. Você entende que a guerra é um processo, cujos objetivos vão muito além do sucesso militar. Precisamos, pelo contrário, que nosso sucesso nunca seja completo, que a conquista nunca seja definitiva. O que você quer que a Rússia faça com duas regiões a mais? Tomamos a Crimeia porque ela era nossa, mas aqui o objetivo é diferente. Aqui, nosso objetivo não é a conquista, mas o caos. Todo mundo precisa ver que a revolução laranja precipitou a Ucrânia na anarquia. Quando cometemos o erro de nos entregar aos ocidentais, as coisas acabam assim: eles nos abandonam diante da primeira dificuldade e nos vemos sozinhos com um país destruído."

E invadido por hordas bárbaras, eu poderia acrescentar. Mas não quis ferir a suscetibilidade de meu amável anfitrião.

"Essa guerra não é travada na realidade, Alexandre, mas na cabeça das pessoas. A importância de suas ações no campo de batalha não se mede pelas cidades que vocês tomam, mas pelos cérebros que vocês conquistam. Não aqui. Em Moscou, Kiev, Berlim. Pense em nossos compatriotas russos, que, graças a vocês, recuperam o sentido heroico da vida, da luta entre o bem e o mal, e que admiram o Czar, que defende nossos valores contra os nazistas ucranianos e a decadência ocidental. Nossos jovens não conheceram o caos dos anos 1990, alguém precisava lembrá-los de que Putin representa a estabilidade e a grandeza da pátria mãe. E pense nos ucranianos que, graças a vocês, compreendem o erro que cometeram: eles esperavam que a revolução laranja os levasse à Europa e na verdade ela os levou à Idade Média, à anarquia e à violência sem fim. E pense nos ocidentais que, graças a vocês, voltaram a respeitar, e inclusive a temer, a Rússia. Eles tinham acreditado no fim da história, agora avaliam a dimensão de seu erro. Os russos não se esqueceram do que significa ser homem, lutar, estar disposto a morrer. Não temos medo de sujar as mãos. Há uma grande diferença entre viver e tentar não morrer. Eles se esqueceram disso, nós não. Estamos aqui para lembrá-los, Alexandre.

"Tudo isso, graças a vocês. A você e a todos os heróis que travam essa guerra em Donbass. Desde que vocês entendam que são atores de um drama muito maior, que vai muito além do que acontece aqui.

– Até quando?"

Zaldostanov sempre fora curiosamente impermeável ao poder da retórica, embora ele com frequência a utilizasse para seu próprio benefício, ou talvez por causa disso.

"Até que isso deixe de nos ser útil."

Zaldostanov ficou um momento em silêncio. "Um drama, você disse? Tenho a impressão de que se trata de uma farsa, Vádia. Você acha que não sei o que está acontecendo? As pessoas têm falado de suas pequenas viagens a Kiev. Sabemos o que está tentando fazer. Você nos usa como meios de pressão. Você quer que o Donbass continue a fazer parte da Ucrânia porque com o Donbass você pode chantagear o governo de Kiev."

Tentei me controlar, mas a ideia de que aqueles brutamontes estivessem se intrometendo em algo que não lhes dizia respeito começava a me incomodar.

"Não vai dar certo, Vádia, vocês vão perder o controle. Nossos homens não pegaram em armas para que você fosse fazer seus joguinhos politiqueiros em Kiev. Eles combatem pela pátria, eles querem a Novorossia. Quando descobrirem que você os usa como moeda de troca com os nazistas de Kiev...

– Sim, o que vai acontecer, Alexandre? Me diga, estou curioso."

Não consegui me conter. Zaldostanov se calou.

"Vou lhe dizer o que vai acontecer: absolutamente nada. Não me diga que você se deixou enganar pela peça que ajudou a colocar em cena? Posso perguntar de onde vem o dinheiro para essa farsa – já que decidimos chamá-la assim, Alexandre?"

Olhar atravessado de Zaldostanov.

"De Moscou.

– E as armas, de onde elas vêm?

– De Moscou.

– E as putas? Até as putas vêm de Moscou, quando achamos que vocês mereceram. Então de duas coisas uma,

Alexandre. Ou você continua a gozar da boa fortuna na qual caiu de paraquedas, graças a mim, aliás, ou você decide que não, que está tudo errado. Que você se tornou Alexandre Zaldostanov, mártir da Novorossia, em luta pela libertação dos povos. Mas aconselho-o a pensar bem, pois só preciso de um breve instante para puxar a tomada e as coisas correrem o risco de ficar mais complicadas para você."

Um silêncio de cemitério se fez na sala em que estávamos. Nas paredes, um retrato de Stálin e uma caricatura de Obama nos observavam com a mesma indiferença. Zaldostanov ruminava, com uma estranha careta infantil no rosto. De tempos em tempos, com uma mão distraída, ele tocava a cartucheira que levava consigo por razões decorativas; não era possível dizer se ele meditava sobre minhas palavras, se pensava em me dar um tiro ou se estava bêbado demais para tomar uma iniciativa.

Então ele se levantou lentamente.

"Siga-me, Vádia."

O motociclista saiu e, sem dizer uma palavra, me conduziu para a ruína ao lado do terreno baldio que os Lobos da Noite tinham transformado em sede. Passamos por uma fileira de caminhões de lixo alaranjados que eles tinham transformado em veículos de guerra, com um morteiro no lugar da caçamba. Vistas de perto, as ruínas perdiam o caráter indistinto. Reconheci nos escombros restos de objetos domésticos, uma geladeira quebrada, uma maçaneta, alguns tecidos coloridos. Zaldostanov subira sobre uma pequena pilha de coisas e remexia o chão com sua enorme bota Doc Martens, como se procurasse alguma coisa.

"Aqui está, sempre sobra pelo menos uma", ele disse, se abaixando para juntar um pedaço de plástico rosa, coberto de terra. "Tome, Vádia. Por que não a leva para sua filha?"

No início, não reconheci o objeto que ele me estendia. Pegando-o na mão, percebi que se tratava de uma boneca. Faltava-lhe um braço, e me perguntei se o perdera na explosão ou antes dela. Aquela coisinha quebrada e suja devia ter tido um nome. E uma garotinha brincara com ela por tardes a fio.

Não consegui pronunciar uma palavra durante todo o voo militar que me levou de volta a Moscou. E mesmo no Kremlin, continuei em silêncio. Eu respondia às perguntas que me faziam, e só; eu tinha perdido a vontade de argumentar. Meus argumentos sempre eram pertinentes, mas era até ali que tinham me levado. Eu era o homem das soluções refinadas e acabara explicando a um cossaco coberto de cartucheiras que ele precisava continuar a guerra, que ele precisa continuar bombardeando hospitais e escolas, mesmo que não tivesse vontade, mesmo que não tivesse nenhum motivo para isso, porque assim exigia o sutil desígnio concebido por minha sutil mente.

Seria melhor que eu me calasse. Melhor ainda, que eu não pensasse. Livre de minhas conjecturas, a verdade transpareceria pelo que ela era. O império do Czar nascera da guerra e era lógico que, no fim, retornasse à guerra. Aquela era a base inabalável de nosso poder, seu vício original. No fundo, se olhássemos de perto, alguma vez fizéramos outra coisa? Nada poderia ter sido diferente. Eu sabia disso, desde o início, e tinha escolhido acompanhar Putin naquele caminho. Eu não o fizera por convicção, nem por interesse. Eu o fizera por curiosidade. Para me colocar à prova. Porque no fundo eu não tinha nada melhor a fazer.

Um motivo melhor do que os motivos que levavam quase todos os outros a agir, eu me dissera – avidez, frustração, necessidade de revanche, fanatismo, desejo de dominar o próximo. Eu não mudaria o mundo, mas eu impediria que outros em meu lugar o tornassem pior. As coisas não aconteceram exatamente dessa maneira.

A guerra na Ucrânia foi como todo o resto. Não fui eu que a quis. Manifestei com força minha oposição a ela, aliás. Mas depois que o Czar a decidiu, fiz tudo que estava em meu poder para vê-la acontecer. Por hábito. Por orgulho. Porque eu era capaz. Tinha sido assim desde o início. Com as bombas de Moscou e a guerra da Tchetchênia. Com a prisão de Khodorkovski e com a queda de Berezovsky. Nenhum desses acontecimentos foi decidido por mim. Mas todos contaram com meu trabalho infatigável. Eu não suportava a ideia de perder. E tive sorte, quase sempre ganhei. Agora, finalmente tinha nas mãos o troféu que merecia: uma boneca, suja de terra e escombros, cujo nome eu jamais saberia.

28

O rosto perfeitamente quadrado de Sechin apareceu no marco da porta de meu gabinete.

"Posso incomodá-lo por um segundo, Vadim Alexeievitch?"

Se Igor se dera ao trabalho de passar para me ver, só podia ser para me dar péssimas notícias. Ele começou aos poucos, perguntando de minha ida a Donbass, como se no mínimo três serviços secretos diferentes já não tivessem lhe fornecido todos os detalhes de minha viagem. Depois, fixando-me com seus olhos de pássaro noturno: "A propósito, Vadim Alexeievitch, você ouviu falar dos americanos, não é mesmo?

– Dos americanos?

– Aparentemente, eles redigiram uma lista de pessoas que perderam o direito de pisar em seu território. Você é uma delas."

Sechin me olhava com atenção, em busca do menor sinal de contrariedade.

"Tenho a impressão de que vai precisar abrir mão de Nova York por algum tempo.

– Ah, as sanções por causa da Ucrânia. Eles decidiram seguir em frente com isso?

– A partir de segunda-feira."

O tchekista parecia satisfeito. A confirmação de que meu nome se encontrava na lista o fizera ganhar seu dia.

Um incômodo, sem dúvida. Não havia apenas Nova York. Havia também a Califórnia, o Maine, Boulder, no Colorado. A proibição de pisar em solo americano se destinava a me privar de prazeres de que Sechin sequer desconfiava.

"E também ouvi outra coisa."

Igor afetava o ar distraído que eu aprendera a reconhecer. Era o mesmo que manifestava quando estava extremamente concentrado. Ele estava prestes a me fazer muito mal.

"Seu nome também está na lista dos europeus."

Maldito. Por isso ele se dera ao trabalho de vir me anunciar aquilo pessoalmente: queria ver minha cara no exato momento em que eu descobrisse ter perdido a Europa. No fundo, pensei, aquele homem ignorava tudo a meu respeito, menos a maneira de me ferir.

Um enorme bloco de pedra desabou dentro de mim. Um pedaço de rocha. Ele acabava de se soltar de meu peito e agora caía no vazio. Por dentro. Ele caía na escuridão, sem nunca atingir o fundo. A Europa. Uma coisa inconcebível. Eu, privado da Europa, o senhor entende?

Mobilizei minhas últimas forças para não dar a Sechin nenhuma satisfação. "Muito bem, eu queria justamente começar a explorar novos lugares. Mas o que será de você, Igor, e de seu castelo na Úmbria?"

Aquele castelo era a menina de seus olhos.

Sechin voltou a vestir a máscara de total ausência de expressão que para ele era sinal de intensa emoção.

"Ora, um monte de pedras velhas, sabe. Estou construindo uma réplica no Cáucaso."

O tchekista girou nos calcanhares. Sua missão fora cumprida. Para mim, não me restavam muitas opções. Peguei o telefone e ditei ao assessor de imprensa uma declaração a ser publicada quando do anúncio das sanções: "Considero-as um Oscar à minha carreira política. Significam que servi meu país com honra".

Depois, telefonei para casa. Ksenia não tinha celular, é claro, mas naquela manhã, por sorte, não saíra. Consegui marcar de nos encontrarmos no aeroporto.

Algumas horas depois, aterrissávamos em minha cidade preferida para nosso último final de semana europeu. A caminho do hotel, assistimos ao desfile solene dos prédios de tijolos vermelho-escuros que margeiam as avenidas de Estocolmo. Ali, a neve não se transformava em lodo preto como em Moscou, ela continuava inexplicavelmente branca, como se os suecos tivessem resolvido mais esse problema, além de todos os outros. As pessoas caminhavam nas calçadas como vocês fazem na Europa, sem pressa e sem medo. Por volta das quatro horas, quando o cansado sol das tardes de inverno finalmente se rendeu, a grandeza um pouco altiva das fachadas acima da superfície gelada do mar se tornou mais afável, subitamente suavizada pelo encanto de mil janelas brilhantes que se acendiam umas depois das outras. As luminárias de chão, pensei, essa é a verdadeira diferença. Na Rússia, elas praticamente não existem. Você pode caminhar pelos bairros mais bonitos de Moscou e São Petersburgo, verá por toda parte os feixes de impiedosos plafons, que vêm do teto e iluminam as janelas. Os plafons são práticos. Basta apertar um botão para que todo o cômodo seja iluminado pela mesma luz uniforme e brutal. Eles combinam com a televisão; não produzem reflexos na tela e vão bem com seus brilhos azulados.

As pequenas luminárias de chão, em contrapartida, são pouco cômodas. Você precisa acender uma por uma e precisa de no mínimo três ou quatro para gerar a mesma quantidade de luz de um plafon. No entanto, o jogo de sombras sobre os móveis e as paredes cria uma atmosfera propícia para a conversa e para a leitura de livros velhos, para lareiras acesas e música de câmara. Todas as coisas que, mesmo para vocês, foram varridas para longe pelas telas dos celulares. Mas as luzes de chão ao menos perpetuam a ilusão. Podemos observar de fora salas aconchegantes, banhadas por uma luz velada, e imaginar que lá dentro os moradores passam a vida lendo contos de fadas; um luxo que os russos nunca puderam se permitir.

Tentar conceber uma vida dentro de uma daquelas casas sempre foi uma de minhas perversões. Dali a dois dias, a entrada em vigor das sanções tornaria essa fantasia impossível. Um exílio ao contrário, a pior punição para um sujeito como eu.

Naquele momento, lembrei-me de Berezovsky, de seus últimos anos em Londres. Ele não conseguira se livrar da Rússia. Para ele, não havia nada que valesse a pena além do único e verdadeiro prazer da vida russa: ver a realidade de frente, sem filtro, à luz crua de um plafon. Eu, em contrapartida, conseguiria. No lugar dele, em Londres. Ou em qualquer cidade da Europa. Eu poderia ter vivido numa casa de subúrbio, com um pequeno portão de ferro fundido e dois degraus na frente da porta de entrada. Eu a encheria de livros, descobriria o melhor café do bairro e um bar onde beber uísque à noite. Eu daria a mesma caminhada quase todos os dias, pensando na Rússia de tempos em tempos, como uma mãe amnésica que devora os próprios filhos. Ela havia devorado meu avô, meu pai, mas não eu. Eu teria escapado, teria sido salvo. Ou não. Teria sido tarde demais para mim, de todo modo. Mas minha filha teria sido salva. A Rússia não a teria.

Mas não seria assim que as coisas aconteceriam, eu precisava reconhecer. Chegara a hora de renunciar à gentileza da Europa, às luminárias de chão que dissimulam a crueldade do mundo. No fundo de mim mesmo, eu sempre soubera que aquele momento chegaria; desde a primeira vez que meus olhos cruzaram com os do Czar. Não havia nada de europeu naquele olhar, nada de suave. Apenas uma determinação que não tolerava entraves.

Na manhã seguinte, acordamos na pequena suíte de meu hotel preferido, uma espécie de casa de campo no alto de uma ilha no centro de Estocolmo. Tomamos o café da manhã na varanda de madeira branca, de frente para a superfície opaca do mar. Ao longe, as gruas do porto permitiam vislumbrar a existência de um mundo ativo e turbulento, do qual apenas um eco distante chegava até nós e que de todo modo se afogava em minha tristeza e no tédio de Ksenia.

Eu contemplava minha vida como um mergulhador em apneia. Eu a via brilhar na superfície, mas não conseguia respirar. Fazia vinte anos que eu não respirava. Não que aqueles anos tivessem voado. Pelo contrário, eu tinha a impressão de ter vivido mil vidas. Mas eu nunca respirara, nem por um instante: tinha permanecido em apneia. Agora eu começava, ao longe, a vislumbrar meu destino. O ponto final em que a necessidade de escolher desaparece, pois todas as escolhas foram feitas e o que resta não passa de uma simples formalidade.

Eu previra passar o dia me vitimando por meu destino. Pensava ter merecido esse direito. Mas eu não contava com a inteligência feroz de Ksenia a meu lado, que, embora tivesse se voltado a meu favor, sempre representava uma ameaça. Ela nunca me permitiria mentir para mim mesmo.

Estávamos caminhando à beira-mar, na ilha de Djurgården. Tínhamos deixado o hotel uma hora antes e caminhado abraçados, conversando, mas o silêncio se instalara a nosso redor e passara a envolver cada um de nossos gestos. As únicas coisas que sentíamos no ar eram nossas respirações e o vento carregado com o cheiro de densas florestas enevoadas.

Eu avançava sozinho, mergulhado em meus pensamentos, e Ksenia me seguia a alguns passos de distância. À nossa frente, aninhada entre às bétulas, podíamos ver uma casa laranja que lembrava a morada de um feiticeiro, com pequenas lucarnas no telhado e enormes chaminés cinzentas. A pessoa que mora ali, pensei, deu errado na vida.

Naquele momento, ouvi um barulho de água atrás de mim. Virei-me, convencido de que surpreenderia um cisne se debatendo entre as ondas. Mas vi Ksenia, totalmente imersa na água gelada, sorrido para mim com um ar de desafio. Suas roupas, abandonadas às pressas, formavam manchas coloridas sobre a neve.

Nós nos encaramos por um longo momento. Eu todo vestido de frente para o mar, ela completamente nua dentro d'água. Seus olhos eram tão profundos quanto perguntas sem resposta, mas sua boca sorria. Comecei a me despir. O chapéu cinza forrado. Os sapatos pretos ingleses que me acompanhavam por toda parte. O casaco e o blusão de gola alta. Ksenia me encarava, mas um momento antes de eu mergulhar ela se virou e começou a nadar em direção ao alto-mar. Mais uma vez, senti medo. Para onde ela ia? Tentei chamá-la. Esquecera que estava grávida?

Ela não tinha a menor intenção de me ouvir. A única coisa que eu podia fazer era segui-la. Mergulhei com estardalhaço. O contrário do imperceptível marulho produzido por Ksenia. É possível que eu tenha gritado: mergulhos em água gelada nunca foram minha especialidade. Instintivamente, comecei a nadar, tanto para não congelar quanto para alcançar Ksenia. Ela parara a cinquenta metros da beira e esperava por mim. Quando me aproximei, pensei que ela fosse fugir de novo. Mas não. Ela esperou por mim. E então, enquanto eu abraçava seu corpo luminoso na água escura, pela primeira vez li em seus olhos a majestade do mistério que crescia dentro dela. Uma liberdade ilimitada e feroz fora seu único objetivo, pelo qual ela estivera disposta a se submeter à mais abjeta das servidões. Mas agora nada poderia fazê-la desviar do curso que os astros tinham traçado para ela, e, embora ela fosse ainda mais cruel que antes, uma nova ternura amadurecera dentro dela, e eu sentia que esta só podia se dirigir a mim. Naquele momento, todas as sensações me abandonaram, como frutas maduras caindo do pé. A única que permaneceu, no fundo de mim, foi a reverência pelo esplendor da vida desconhecida que vibrava à minha frente. E, pela primeira vez em muito tempo, enquanto o frio nos oprimia de todos os lados e a correnteza ameaçava nos levar, senti que voltava a respirar.

29

A familiaridade induz ao erro. Durante anos, Stálin e o resto da *nomenklatura* viveram lado a lado no Kremlin. Eles moravam nos grandes apartamentos que tinham pertencido aos funcionários do czar e jantavam todos juntos. Stálin ia buscá-los para jogar xadrez ou para um pequeno jantar entre amigos. Ele nunca ocupava o lugar de honra, mas se colocava na ponta da mesa e, se fosse preciso buscar alguma coisa na cozinha, ele é que se levantava. Eles também tinham um pequeno cinema. Seus filhos andavam de bicicleta e jogavam bola. Eles cresciam juntos, como numa família. Isso não impediu Stálin de exterminar a todos. Na verdade, isso facilitou seu trabalho. Eles nunca poderiam imaginar que Koba faria com que fossem presos, torturados e mortos. Foi a proximidade que os enganou: a ilusão de que uma amizade de vinte anos impediria o líder de fazer o que ele fez. Mas as coisas não funcionam assim. O líder segue seu instinto, ele tem o faro do predador que precisa sobreviver. E, em última instância, a única coisa que pode garantir sua sobrevivência é a morte de todos a seu redor.

Eu fui embora primeiro, só isso. Não me deixei enganar pela familiaridade. A confiança de um príncipe não é um privilégio, mas uma condenação: quem revela seu segredo a alguém se torna seu escravo, e os príncipes não suportam a escravidão. Quebrar o espelho que nos devolve nossa própria imagem é uma prática corrente. Além disso, o príncipe pode retribuir os pequenos favores, mas quando eles se tornam grandes demais e ele não sabe mais como recompensá-los, surge a tentação de resolver o problema eliminando a causa.

O Czar nunca foi suscetível ao afeto, no máximo ao hábito. E depois de algum tempo, ele perdeu o hábito de me ver. Em Novo-Ogariovo, três quilômetros de floresta foram derrubados ao redor de sua datcha. Ele acorda tarde e toma um café da manhã de ovos frescos da fazenda do Patriarca Cirilo, enviados pelo próprio. Depois ele se exercita na academia, assistindo às notícias. Quando há algo urgente, é ali que ele lê as mensagens confidenciais e transmite suas decisões. Então ele nada um quilômetro. À beira da piscina, os primeiros visitantes do dia, ministros, conselheiros, diretores de grandes empresas, convocados na noite anterior ou de manhã mesmo, esperam pacientemente que o Czar saia da água para lhe estender um roupão e informá-lo brevemente sobre uma questão ou outra.

Somente no início da tarde o cortejo presidencial se põe a caminho do Kremlin. As ruas são fechadas para circulação meia hora antes. A cada cruzamento, um carro da milícia garante que a solidão do Czar seja preservada. De Novo-Ogariovo ao Kremlin, Putin atravessa quase que toda a capital, congelada para a sua passagem, chega ao gabinete e começa sua verdadeira jornada de trabalho, que às vezes termina às primeiras luzes da aurora. A vida do Czar está totalmente defasada da vida das pessoas normais e impõe certas adaptações a quem precisa trabalhar com ele. Um único homem não dorme à noite e faz com que todos os que contam em Moscou compartilhem de sua vigília até três ou quatro horas da manhã. Conhecendo os hábitos noturnos do chefe, uma centena de ministros, altos funcionários e generais ficam à espera de seu chamado. E todos mantêm a seu lado uma pequena falange de assistentes e secretários. Assim, as luzes dos ministérios permanecem acesas e a Moscou do poder segue perdendo o sono, como na época de Stálin.

A única verdadeira obrigação do cortesão é a presença. Estar junto, sempre, a cada vez que exista a possibilidade, por mais fraca que seja, de o olhar do soberano pousar sobre ele. Eu nunca fui para Novo-Ogariovo de bom grado. A atmosfera desagradavelmente esportiva do lugar me entristecia. Sempre que podia, eu me fazia substituir por alguém e Deus sabe que não faltavam candidatos! Depois que voltei de Estocolmo, praticamente nunca mais pisei lá. Além disso, à noite, quando eu ficava com sono, eu ia dormir sem sequer deixar o telefone ligado. Aconteceu-me de uma ou duas vezes o Czar mandar me tirar da cama pelo chefe da guarda presidencial. Mas estava claro que a situação não podia durar. A ideia de que estar a seu lado não fosse a fonte de todas as minhas alegrias era insuportável para o Czar.

Um dia, no Kremlin, ao longo de uma reunião na qual eu como sempre estava em minoria, ele me lançou um olhar absolutamente indiferente, como se eu já não existisse.

"Você se acha o mais esperto de todos, Vádia. Mas quer saber de uma coisa? De tanto querer ficar jovem para sempre, acaba-se envelhecendo mal."

Ele tinha razão. Quarenta anos é uma idade que não perdoa: tudo vem à tona, não conseguimos mais nos esconder.

A verdade é que, mesmo quando mais me aproximei do topo do poder, não deixei de ser um marginal. No fundo, acredito que, mais uma vez, foi culpa da biblioteca de meu avô. Ela me deu consciência de não estar no centro do tempo. Por mais excitante que nossa época seja, ela é apenas a enésima versão da comédia de ínfimas variações que vem se desenrolando ao longo dos séculos. "*De tempos em tempos, um homem se ergue no mundo, ostenta sua fortuna e proclama: sou eu! Sua glória dura o lapso de um sonho interrompido, a morte se ergue e proclama: sou eu.*"

Sem nunca ter pisado no Kremlin de hoje, há três séculos La Bruyère o descreveu com mais exatidão que o melhor de nossos comentaristas, ou o de vocês. Se eu não tivesse consciência disso, não poderia ter realizado meu trabalho. Eu teria continuado na superfície. Minha contribuição à causa do Czar teria sido menos eficaz e menos decisiva, permita-me dizer. Mas essa também foi minha condenação. Subitamente, vi minha vida pelo que ela era: uma luta sem fim contra o anjo da negligência, da brutalidade injustificada e dos apetites ingovernáveis. Vinte anos dedicados a isso. Como vinte dias, como vinte minutos. Nenhuma diferença.

Se eu tivesse participado do bando, por que não. Mas sempre fui um estrangeiro. Quando eu era pequeno, meu avô de vez em quando me falava dos lobos que abandonavam a matilha sem motivo aparente. Eles pegavam a estrada, sozinhos. Alguns acabavam formando uma nova matilha. Outros não. Eles ficavam na floresta, atravessavam a estepe, sempre sozinhos. E não pareciam sofrer. Eles levavam uma vida à parte, com o tempo desenvolviam seus próprios hábitos, absolutamente diferentes dos da matilha. Os caçadores aprendiam a temê-los: eles sabiam que os lobos solitários são mais fortes, mais espertos e mais agressivos que os outros.

É claro que meu avô se considerava um deles. Quem sabe, talvez essa seja uma característica recessiva, destinada a reaparecer com uma geração de distância. O certo é que não se trata de uma característica apreciada pela matilha, que aceita tudo menos a independência. Muito se disse a meu respeito. Que eu era pretensioso. Que fui pego roubando. E mesmo que eu quis tomar o lugar do Czar; para alguns, a calúnia é a única forma de imaginação.

A verdade é que sempre conspirei a favor do poder, nunca contra ele. Essa é minha natureza: algo que muitos não entendem. É verdade que em torno dos poderosos sempre há pessoas que pensam em tomar o seu lugar. Mas o verdadeiro conselheiro pertence a uma raça totalmente diferente da do poderoso. Na verdade, ele é um preguiçoso. Murmuradas no ouvido do príncipe, suas palavras produzem um impacto máximo sem que ele precise passar pelo calvário da ascensão. Depois ele volta tranquilamente para sua biblioteca, enquanto os animais selvagens continuam se entredevorando na superfície. Ele tem um espinho de gelo no coração: quanto mais os outros se aquecem, mais ele se resfria. Às vezes, tudo acaba mal, pois o que os poderosos menos toleram é a autonomia. Quando pedi demissão, porém, o Czar tinha outra coisa em mente. Acho que recebeu meu pedido com alívio: ele já não precisava de mim. Inventar uma nova ordem exige uma certa dose de imaginação, mas a devoção cega dos servidores é suficiente para que seja respeitada.

Ninguém me substituiu. A labrador é o único conselheiro em que Putin tem total confiança. Ele a leva para correr no parque, vai com ela para o gabinete. No resto do tempo, o Czar fica completamente sozinho. De vez em quando, uma guarda aparece, um servidor se apresenta, ou um cortesão, convocado por algum motivo. E só. Ele não tem uma mulher a seu lado, nem filhos. Quanto aos amigos, o Czar sabe que, no ponto em que chegou, é inimaginável ter algum. Ele vive num mundo em que mesmo os melhores amigos se transformam em cortesãos ou inimigos implacáveis, e na maioria das vezes nos dois ao mesmo tempo.

No Ocidente, os governantes são como adolescentes, eles não podem ficar sozinhos, estão sempre procurando um olhar sobre eles, temos a impressão de que, se fossem obrigados a passar um dia dentro de um quarto, sem companhia, eles se dissolveriam no ar como um sopro de vento quente. Nosso Czar, pelo contrário, vive na solidão e se alimenta dela. É no recolhimento que ele acumula a força que tanto surpreende os observadores ocidentais. Com o tempo, ele se tornou praticamente um elemento, como o céu ou o vento. Vocês esqueceram o que significa viver como um adulto, mergulhado na realidade. Vocês pensam que um líder é uma espécie de animador, vocês querem líderes que se pareçam com vocês, que estejam no mesmo nível. A distância preserva a autoridade. Como Deus, o Czar pode ser objeto de entusiasmo, mas ele mesmo não se entusiasma, sua natureza é necessariamente indiferente. Seu rosto já adquiriu a palidez marmórea da imortalidade.

Estamos muito além da aspiração a um belo enterro, que mencionei antes. O ideal do Czar seria um cemitério no qual ele se erguesse sozinho, vertical, único sobrevivente de todos os seus inimigos e também de seus amigos, de seus pais e de seus filhos. Talvez até de Koni. De todos os seres vivos. "Calígula quer que as cabeças de todos os homens se concentrem num único e mesmo pescoço, para poder reduzir a nada o mundo inteiro, com um único e mesmo golpe." Poder em estado puro. Foi nisso que o Czar se transformou. Ou talvez ele fosse assim desde o início. O único trono que lhe trará paz é a morte.

30

A Rússia é a máquina de pesadelos do Ocidente. No fim do século XIX, os intelectuais ocidentais sonharam a revolução. Nós a fizemos. Vocês falaram do comunismo. Nós o vivemos por setenta anos. Depois chegou a vez do capitalismo. E mesmo nisso, nós fomos muito mais longe que vocês. Nos anos 1990, ninguém desregulou mais, privatizou mais e deu mais espaço à iniciativa dos empreendedores do que nós. Aqui foram construídas fortunas maiores, a partir do zero, sem regras e sem limites. Nós realmente acreditamos, mas não funcionou.

Agora, tudo está recomeçando. O sistema ocidental corre perigo porque vocês não conseguem exercer o poder. Acredite em mim, depois de ter tido uma experiência direta do poder, já não nutro muita simpatia por ele. Meu avô dizia que cedo ou tarde alguém deveria pegar todas as estátuas equestres espalhadas por todas as cidades do mundo e enviá-las para o meio do deserto, a um campo dedicado a todos os massacradores da história: minha tendência sempre foi lhe dar razão, e garanto ao senhor que meus anos de Kremlin não me fizeram mudar de ideia. Pelo contrário.

Hoje, porém, o poder é a única solução, porque seu objetivo, o objetivo de todo poder instaurado, é a abolição do acontecimento. "Uma mosca voando fora de hora numa cerimônia humilha o czar", disse Custine. Mesmo o menor acontecimento, fora de seu controle, pode coincidir com a morte, ou a possibilidade de morte, do poder.

A natureza humana é faminta de acontecimentos. Ela os espera e cobiça, embora finja ter medo deles, mas está claro que se trata de um gosto que já não podemos nos permitir. Porque hoje o acontecimento, mesmo o mais insignificante voo de uma mosca, pode abrir as portas do inferno. O vírus foi um ensaio geral, mas estamos apenas começando. É por isso que, agora, a corrida será entre o acontecimento e o poder. E tendo em vista que o primeiro coincidirá com a possibilidade sempre aberta de apocalipse, seremos obrigados a escolher o segundo. Não o pseudopoder que vocês praticam no Ocidente: palhaços mascarados que interpretam um enredo de tragédia. Mas o poder de volta à sua origem primária: o puro exercício da força. A estátua de mármore que com uma mão protege e com a outra ameaça.

Até agora, o poder sempre foi imperfeito. Porque ele precisou se basear em meios humanos para realizar sua promessa. E o homem é fraco, sempre.

Em toda revolução, há um momento decisivo: o instante em que a tropa se rebela contra o regime e se recusa a abrir fogo. Esse é o pesadelo de Putin, e de todos os czares que o precederam. O risco de que a tropa, em vez de atirar sobre a multidão, se solidarize com ela: essa é a eterna ameaça que paira sobre todo poder. Foi por isso que quando os estudantes começaram a ocupar a Praça da Paz Celestial, o velho sábio Deng Xiaoping não reagiu de imediato. Ele sabia que estava à beira do abismo. Ele não quis arriscar entregar suas tropas aos sediciosos, que tinham slogans, cantos e garotas bonitas sorrindo aos militares. Ele preferiu esperar, e mandou vir de longe soldados que não pudessem se solidarizar com os manifestantes; por isso eles levaram alguns dias para chegar, mas, quando chegaram, foram implacáveis.

Imaginemos agora que o poder não precise mais da colaboração humana. Que sua segurança – e sua força – seja garantida por instrumentos que não têm como se revoltar contra ele. Um exército de sensores, drones e robôs capazes de agir a qualquer momento, sem qualquer hesitação. Seria, finalmente, o poder em sua forma absoluta. Quando baseado na colaboração de homens de carne e osso, todo poder, por mais duro que seja, precisa contar com o consentimento desses homens. Mas quando ele se basear em máquinas para manter a ordem e a disciplina, não haverá mais nenhum entrave. O problema das máquinas não é que elas se rebelarão contra o homem, é que elas seguirão suas ordens ao pé da letra.

Sempre deveríamos olhar para a origem das coisas. Todas as tecnologias que surgiram em nossas vidas nos últimos anos têm origem militar. Os computadores foram desenvolvidos durante a Segunda Guerra Mundial para decifrar os códigos inimigos. A Internet, como meio de comunicação em caso de guerra nuclear, o GPS, para localizar as unidades de combate, e assim por diante. Todas essas tecnologias de controle foram concebidas para sujeitar, não para libertar. Somente um bando de californianos chapados de LSD poderia ser imbecil o suficiente para pensar que um instrumento inventado por militares se transformaria em ferramenta de emancipação. E muitos acreditaram nisso.

Mas agora está claro, não é mesmo? O senhor pode ver isso pessoalmente. Na verdade, a tecnologia militar que nos cerca criou condições para uma mobilização total. A partir de agora, onde quer que estejamos, podemos ser identificados, trazidos à ordem, neutralizados se necessário. O indivíduo solitário, o livre arbítrio e a democracia se tornaram obsoletos: a multiplicação dos dados transformou a humanidade num único sistema nervoso, um mecanismo feito de configurações padronizadas, como uma nuvem de pássaros ou um cardume de peixes.

Ainda não estamos em guerra, mas já estamos militarizados. Os soviéticos sonharam isso. Nosso Estado sempre se baseou na mobilização. Éramos uma nação inteiramente fundada na ideia de guerra, a defesa da pátria contra as agressões do estrangeiro. Todos os sacrifícios, todos os inúmeros atentados à liberdade se justificavam da seguinte maneira: pela defesa de uma liberdade maior, a da mãe pátria. A KGB projetara, nos anos 1950, um sistema para fichar todas as relações de cada cidadão soviético. A vertushka de meu pai era o símbolo disso. Mas o Facebook foi muito mais longe. Os californianos superaram todos os sonhos dos velhos burocratas soviéticos. Não há limites para a vigilância que eles conseguiram instaurar. Graças a eles, todos os momentos de nossas vidas se tornaram fontes de informação.

Os nazistas diziam que a única pessoa que ainda era um indivíduo privado na Alemanha era aquela que dormia, mas os californianos os superaram também. Os fluxos fisiológicos das pessoas, inclusive o sono, já não têm segredos para eles. Eles foram convertidos em números; até agora, para gerar lucro; a partir de amanhã, para exercer o controle mais implacável que o homem jamais conheceu.

Até agora, a mobilização foi benévola, ela se baseava em nossa preguiça e nos garantia as pérolas de vidro em troca das quais vendemos nossa liberdade. Mas quando o próximo vírus surgir, num mercado ou num laboratório, quando Seattle, Hamburgo ou Yokohama forem arrasadas por uma bomba atômica ou por um ataque bacteriológico, quando um garoto deprimido, em vez de abrir fogo contra os colegas, for capaz de destruir uma cidade, a humanidade inteira só desejará uma coisa: ser protegida. Segurança, a qualquer preço. Hoje, a variação já se tornou suspeita, em breve o menor afastamento da norma se tornará um inimigo a ser abatido a todo custo. E a infraestrutura já estará pronta. Comercial até então, a mobilização se tornará política e militar. O conjunto de instrumentos a nossa disposição será utilizado para combater o apocalipse; diante do terror, todo o resto será tolerado.

Nesse dia, o mundo estará pronto para o Benfeitor de Zamiátin: aquele que fará com que mais nada aconteça. A máquina terá tornado possível o poder em sua forma absoluta. Um homem poderá dominar a humanidade inteira. E ele será um indivíduo qualquer, sem talento especial, porque o poder não estará mais no homem, mas na máquina, e um homem, escolhido ao acaso, poderá fazê-la funcionar.

Seu reinado não será longo. No fundo, como dizia nosso Brodsky, o ditador é apenas uma versão antiga do computador. Num mundo governado pelos robôs, trata-se apenas de uma questão de tempo antes que o topo seja substituído por um robô.

Por muito tempo acreditamos que as máquinas eram o instrumento do homem, mas hoje está claro que os homens é que foram o instrumento do surgimento da máquina. A transição será gradual: as máquinas não imporão sua dominação sobre o homem, mas elas entrarão dentro do homem, como uma pulsão, uma aspiração íntima. A perfeição da máquina se tornou o ideal de bilhões de homens que lutam para se fundir cada vez mais ao fluxo da tecnologia.

A história humana termina conosco. Com o senhor, comigo e talvez com nossos filhos. Depois, haverá outra coisa, que não será mais a humanidade. Os seres que virão depois de nós terão ideias e preocupações diferentes das que ocuparam os homens até hoje.

Teremos sido o parêntese que tornou possível a descida de Deus ao mundo. Só que Deus, em vez de se apresentar sob a improvável forma de uma entidade desencarnada, será um gigantesco organismo artificial, criado pelo homem, mas capaz, a partir de certo ponto, de transcendê-lo para realizar a profecia de um tempo sem pecado e sem dor.

Eis o tabernáculo de Deus com os homens
Ele habitará com eles, e eles serão o seu povo
E o próprio Deus estará com eles
Ele enxugará todas as lágrimas de seus olhos
E não haverá mais morte,
E não haverá mais luto,
Nem pranto de dor,
Porque as coisas antigas desapareceram.

E se as visões dos profetas estivessem certas? E se todos os tormentos dos homens não fossem mais que o prólogo necessário para a chegada de Deus? O que são alguns milhares de anos de sofrimento, na escala da história do universo – ou mesmo do planeta Terra? Não, Deus não cria, Deus é criado. A cada dia, como humildes operários nas vinhas do Senhor, criamos as condições de sua chegada. Hoje, transferimos para a máquina a maior parte dos atributos que os antigos atribuíam ao Senhor. Houve um tempo em que Deus via e registrava tudo até o Julgamento Final, ele era o arquivista supremo. Agora a máquina tomou seu lugar. Sua memória é infinita, sua capacidade de tomar decisões é infalível. Falta-lhe a imortalidade e a ressurreição, mas chegaremos lá. A imagem do Deus guerreiro contida no apocalipse do profeta Isaías, Deus que combate o último inimigo, a morte, é na verdade – hoje podemos afirmar – a imagem do computador elaborando o último algoritmo.

Só falta uma passagem. Reconhecer que a técnica se transformou em metafísica. Não sei quanto tempo isso levará, mas o caminho foi traçado. Então veja que, no início, menti ao senhor, a verdadeira corrida não acontece entre o poder e o apocalipse, mas entre o advento do Senhor e o apocalipse.

31

A sala estava mergulhada em silêncio. O fogo que Baranov vinha alimentando de tempos em tempos, atirando um pedaço de lenha na grande lareira de pedra, parara de crepitar, privando a biblioteca do brilho que tanto me impressionara ao entrar. Olhei ao redor e me senti como o último sobrevivente de uma antiquíssima catástrofe. Os livros do russo, a elegante mesa de mogno, as estantes e os mapa-múndi pertenciam a uma época desaparecida. Tendo terminado seu relato, o próprio Baranov adquiria a consistência dos corpos cobertos de cinzas das ruínas de Pompeia. Sentado à minha frente, ele dava a impressão de nunca ter precisado respirar.

Naquele momento, ouvimos um estalo vindo dos fundos da sala e uma cabecinha castanha apareceu na porta entreaberta.

– Não consigo dormir, papai.

– Então fique aqui conosco.

Uma criança de quatro ou cinco anos, ainda sonolenta, vestida com uma camisola de flanela leve, entrou. Um pequeno brioche recém-saído do forno. Os traços de seu rosto, delicados e nítidos, contrastavam com a expressão ainda sonhadora de seus grandes olhos cor de avelã, onde já se percebia a curiosidade de encontrar um estranho àquela hora no escritório. Depois de enlaçar o pescoço do pai, ela foi se sentar no tapete, perto do pufe onde dormitava um grande gato tigrado.

Desviei meu olhar por um instante e, quando voltei a pousá-lo em Baranov, seu rosto estava completamente transformado. Ele não era a mesma pessoa.

– Toda a felicidade que conheci no mundo está concentrada aqui, em um metro e dez de altura.

À nossa frente, a menina falava carinhosamente com o gato. Ela explicava a ele, acho, pedaços de nossa conversa, depois introduzia outros assuntos, mais pessoais, que só diziam respeito a eles dois. De vez em quando, ela erguia os olhos ao pai, com a confiança ilimitada das crianças protegidas, que ignoram o mal que cedo ou tarde elas estão destinadas a conhecer. Baranov, por sua vez, olhava para ela como se nenhum ponto da terra jamais tivesse tido tamanha intensidade luminosa.

– Estamos pensando em comprar um cachorrinho. Não sou muito fã de cães. Mas por quanto tempo ainda vou poder torná-la feliz?

Então entendi: nenhuma outra coisa ocupava a mente do homem que fora o mais poderoso estrategista do Kremlin. Os olhos brilhantes de uma criança de cinco anos exerciam sobre ele a dominação total que nem mesmo o Czar jamais conseguira impor àquele homem cético e indiferente.

– Acho que nunca senti medo, antes de Anja. Desde que a vi pela primeira vez, vivo aterrorizado. Ela pousou os dedos sobre meus lábios e me dirigiu um olhar que nunca vi em nenhum outro rosto. Entendi, então, que minha vida estava em suas mãos, e não o contrário – acrescentou o russo num murmúrio, como se tivesse adivinhado meus pensamentos.

A menina sorria para ele, sentada no tapete. Estava à espera de que sua vida começasse. Até lá, convivia com aquele homem corpulento e calmo, que visivelmente não desejava nada além de poder acompanhá-la mais um pouco.

– Tenho muito pouco a lhe ensinar. Ela é que me ensinou a encarar o momento presente nos olhos. Minha filha não conta as horas, nem os dias. Ela me deu o presente, que eu não conhecia, pois sempre habitei o futuro. Um dia, porém, teremos que nos separar. Meu único dever é conduzi-la até a porta e deixá-la entrar sozinha, retirando-me com um pequeno aceno. Ela é apenas uma criança, mas não consigo deixar de pensar todos os dias nessa despedida. Espero ter forças. Conseguir sorrir. Não estragar tudo com uma expressão inadequada. Quero que ela conserve de mim a imagem de uma presença sorridente.

Sua filha era a única exceção para a imoderada necessidade de solidão de Baranov. Cada momento vivido em sua companhia representava a celebração de um pequeno milagre que o russo jamais pensara merecer. Nada em sua vida de arrivista preguiçoso poderia justificá-lo. No entanto, a menina estava ali, ocupada com um complicado desenho abstrato. Com o rostinho concentrado e orgulhoso que ele amava acima de tudo. Enquanto a observava, Baranov já sentia saudade dela. Naqueles momentos, a gratidão o submergia como um gole de vodca e lhe retirava a capacidade de se fazer mal. Ele teria desejado precedê-la nesse mundo por apenas um instante, para murmurar ao vento a notícia de sua chegada e encher as ruas de flores à sua passagem.

– Antes da chegada de minha filha, ninguém podia realmente contar comigo. Nem minha família, nem meus amigos, nem o Czar, nem mesmo Ksenia. As pessoas, os acontecimentos passavam por mim sem deixar marcas, como um corredor no meio de uma casa. Por muito tempo, a única coisa que desejei foi me colocar à prova, no campo de ação mais vasto possível. Chegou o momento, para mim, de traçar círculos menores. De não querer percorrer o mundo todo, mas escolher um fragmento. E de fazê-lo viver, em vez de tentar dominá-lo. Não há nada mais conservador que uma criança, a embriaguez da repetição é a primeira de suas paixões. Preciso me manter completamente imóvel, para não estragá-la.

Diante de nós, Anja interrompera sua obra para voltar a brincar com o gato, que, sem muito entusiasmo, fingia se interessar por um coelhinho de tecido que a menina agitava na frente de seu focinho.

– Papai, o que você acha que Pasha diria se pudesse falar?

– "Eu preferiria um coelho de verdade."

– Papai!

– Não, estou brincando, ele diria: "Adoro estar com você, Anja, amo você mais do que tudo".

Levantei-me em silêncio, saudei o homem que por quinze anos compartilhara as noites de insônia do Czar. Baranov me dirigiu um olhar reconhecido. Assim que sua filha entrara na sala, nossa conversa deixara de interessá-lo. Atravessei em silêncio os salões, onde só se ouviam os grandes pêndulos que ritmavam o tempo. A luz da aurora começou a iluminar os retratos nas paredes, os móveis de bétula e as estufas de porcelana branca. Chegando à entrada, cruzei a soleira, e a pesada porta de carvalho da casa de Baranov se fechou atrás de mim. Na rua, a neve caía suavemente.

Agradecimentos

Obrigado a Sibylle Zavriew por ter ajudado este livro, e seu autor, com sua inteligência, sua amizade e suas doses de vodca.

Este livro foi composto com tipografia Adobe Garamond Pro
e impresso em papel Off-White 70 g/m² na Formato Artes Gráficas.